CÉCILE, LA POISON

Il y a deux femmes en Janine Boissard : l'une, divorcée, quatre enfants, est l'auteur d'une grande saga, pleine de tendresse et d'expérience vécue, L'Esprit de famille. *Cette œuvre romanesque comprend six tomes :* L'Esprit de famille; L'Avenir de Bernadette; Claire et le bonheur; Moi, Pauline; Cécile, la poison *et* Cécile et son amour. *Un feuilleton pour la télévision a été tiré des quatre premiers volets de cette saga, il a été plusieurs fois diffusé avec un grand succès.*
Janine Boissard a publié deux autres romans. Sur la femme divorcée : Une Femme neuve. *Sur la drogue :* Rendez-vous avec mon fils.
La seconde femme signe Janine Oriano et écrit des romans fantastiques (Les Miroirs de l'ombre) *et des romans policiers* (D., O.K. Léon, Au Veuf hilare). *Elle est la seule femme à figurer au catalogue de la « Série Noire ».*
Elle a écrit aussi des scénarios, notamment la série des Miss *jouées par Danielle Darrieux.*

« La Poison », tout le monde la connaît ! Oui, la « petite dernière » de la famille Moreau, à *La Marette* ! Celle qui met son grain de sel, ou de poivre, partout, qui se trouve toujours là où il ne faut pas, bref : celle qui empoisonne.
Il y a des surnoms qui, lorsqu'on est jeune, vous amusent plutôt : ils reflètent l'affection. Mais il arrive un âge où l'image ne colle plus; alors, on ressent le besoin impérieux de s'en débarrasser; voici Cécile parvenue à cet âge-là. Est-elle encore « la Poison », lorsqu'elle tente de redonner racines à Benjamin, fils de Pauline, délaissé par sa mère ? Est-elle encore la Poison en face de Tanguy, son premier et douloureux amour ? Et enfin, comment pourrait-on l'appeler ainsi le jour si difficile où, devant la violence, elle choisit avec courage entre son cœur et sa conscience.
Dans ce roman, nous retrouvons tous ceux qui nous ont charmés dans la saga *L'Esprit de famille*, de Janine Boissard, ainsi que dans la série télévisée qui en a été tirée. Voici le docteur Moreau et sa femme, grands-parents, déjà, de cinq petits-enfants. Voici Claire, notre « princesse », Bernadette trop peu « cavalière » à son goût. Pauline qui se bat, elle aussi, pour son amour. Voici le sympathique « Grosso-modo », toujours présent, vivante incarnation de l'amitié. Et voici *La Marette* qui nous ouvre à nouveau grand ses portes et nous invite à profiter de sa chaleur.
Mais, ayant lu la touchante histoire de Cécile, que nul ne s'avise plus ensuite de l'appeler « la Poison ».

ŒUVRES DE JANINE BOISSARD

Dans Le Livre de Poche :

L'ESPRIT DE FAMILLE (t. 1).
L'AVENIR DE BERNADETTE (L'Esprit de famille, t. 2).
CLAIRE ET LE BONHEUR (L'Esprit de famille, t. 3).
MOI, PAULINE (L'Esprit de famille, t. 4).
UNE FEMME NEUVE.
RENDEZ-VOUS AVEC MON FILS.

JANINE BOISSARD

L'ESPRIT DE FAMILLE
V

Cécile, la Poison

ROMAN

FAYARD

A Claude Désiré qui a cru
en *L'Esprit de famille* et ouvert à
tous les portes de *La Marette*.

CHAPITRE PREMIER

SPAGHETTI À LA CARBONARA

GERMAIN est mort hier : le cheval de ma sœur Bernadette, trente ans, pas elle, le cheval! Un vieux monsieur finalement, une bourrique usée qui ne pensait qu'à s'envoyer les branches basses du peuplier pyramidal de mon père et vous regardait, ensuite, d'un air à vous retourner les tripes. J'aimais poser mes lèvres sur sa joue, là où c'est lisse et ça palpite : terminé! Je ne sentirai plus cette douceur et l'odeur si chaude que j'en frissonne encore.

En un sens, ça a été bien puisque la mort rapproche forcément les vivants. On s'est tous retrouvés à *La Marette*, les quatre sœurs et les « rustines » : je veux dire les bouts rapportés, les maris, Antoine, Stéphane et Paul. Ça sentait le lardon frit pendant qu'on procédait aux funérailles vu que maman avait prévu un tombereau de spaghetti à la carbonara pour après. « Carbonara », carbonisé... Bernadette aurait voulu incinérer son cheval de façon à pouvoir le garder près d'elle, mais il paraît que le matériel n'est pas prévu pour cette taille-là, et de toute façon Stéphane n'était pas chaud pour garder l'urne sur la cheminée de leur deux pièces-cuisine à Neuilly. Alors, comme d'habitude, on a fait appel à Grosso-modo et il a eu l'idée de l'excavatrice. En trois coups de cuiller, le trou était fait, au fond du jardin, près de l'Oise. Il ne restait plus qu'à y loger la dépouille mortelle.

Bernadette avait ramené Germain au début de la semaine, quand elle avait compris qu'il n'en avait plus pour des lustres. Plus question, bien sûr, qu'il transporte quelqu'un sur son dos : il se contentait de vivre encore un peu et de vous regarder avec confiance. Papa n'avait rien pu dire en le retrouvant dans son garage puisqu'il s'agissait d'un malade. « S'il te gêne, tu peux l'achever », a proposé la cavalière. Et Germain qui écoutait en faisant des vagues sous le brun presque noir de sa robe.

Deux jours plus tard, il était mort : très grand, très mort! Ça m'a fait penser à la guerre, je ne sais pas pourquoi. Peut-être parce que la guerre a les yeux bandés ou parce que, de leur vivant, les yeux de Germain parlaient de paix.

Bernadette a dit : « Putain de merde de vie », mais pas une larme, évidemment. Elle a tout de suite appelé Crève-cœur, en quelque sorte le père de Germain bien qu'il ait songé autrefois à l'envoyer à la boucherie pour cause de vieillesse et manque de boxes. Et ce matin, il était là avec les sangles.

On a entouré le ventre du corps, on s'y est tous attelés pour le tirer jusqu'à la tombe, et derrière lui, s'ouvrait un sillon dans le gravier.

Il paraît qu'on aurait pu aussi s'adresser à l'équarrisseur : il prend le bon, jette le mauvais où on ne saura jamais. L'avantage est qu'il vous débarrasse très vite du spectacle; on peut ne garder que les meilleures images : celles de galops dans la rosée avec le soleil qui palpite au bout du champ; ou les images de fraternité, quand on sent qu'on est deux et qu'on s'apprécie. Mais Bernadette tenait à le conserver à *La Marette* et elle nous a solennellement demandé qu'après l'avoir incinérée, elle, on la répande autour de lui.

La tombe de Germain est tout près du trou où, quand j'étais petite, j'ai enterré ma collection de champignons mortels. Ça m'a fait un plaisir secret parce que ce sont les surprises de la vie. Je dis « surprises », mais je n'y crois pas. Il y a une chaîne mystérieuse qui relie tout en profondeur : les gens, leurs actes et même les endroits où ils passent. Parfois, la chaîne apparaît comme celle que la mer découvrait sous le sable d'Houlgate, à marée basse, et que je ne suis jamais arrivée à suivre jusqu'au bout.

On a mis un temps fou à recouvrir Germain de terre, mais là, pas question d'instruments mécaniques, le cœur et les bras. Pauline y allait de toutes ses forces pour oublier de pleurer, Claire travaillait à coups de cuiller à café, le petit doigt levé; à un moment, Bernadette a touché mon coude : « Tu te souviens, Poison, à la télé? » C'était quand j'avais sauvé le disparu de la boucherie et qu'il avait commencé à m'appartenir un peu à moi aussi.

« Grosso-modo, il a de la chance, ce cheval, a remarqué M. Tavernier. Quelle plus belle tombe que son jardin! »

Et on a tous pensé à son abri anti-atomique, le seul de l'entourage, capacité vingt personnes, on est compté, il a rajouté du lait en poudre pour les petits.

Stéphane se tenait tout contre Bernadette, cherchant à lui dire quelque chose de profond pour la consoler. Mais on ne console pas Bernadette. Claire et Pauline, on les console, je suppose. Moi, pas. Ou ce n'est pas important et de toute façon ça passe; ou cela touche les endroits où on est forcément seul : rien à faire.

On était dix pour les nouilles à la carbonara. Nos

trois jeunes ménages, les parents, Crève-cœur et Grosso-modo. Crème, gruyère et lardons. J'ai rajouté un peu de sauce tomate, ce qui a fait hurler tout le monde; quitte à se tromper, il faut bien essayer un maximum : on ne vit qu'une fois! Maman avait fait déjeuner les petits avant mais dans son lit, là-haut, Gabriel criait qu'il voulait caresser encore une fois le cheval mort.

Un jour, je lui montrerai les photos. Je les ai prises tout de suite, quand je l'ai trouvé. C'est moi qui l'ai trouvé. J'ai senti un peu plus de silence en me réveillant, j'ai couru au garage sans mettre mes chaussons et ça y était. Je n'ai pas été étonnée. Il y a eu une sorte de vide en moi, je ne sais pas comment expliquer : tout d'un coup, la vie tremblait sur une même ligne comme sur la route ensoleillée, les mirages, parfois.

Je n'ai pas crié. Je suis allée chercher mon appareil à la maison et j'ai pris tout le rouleau. C'est à ses yeux qu'on voit qu'il n'est plus là. Ils sont comme le verre de ma montre quand je me suis baignée avec par erreur. Dessous, les aiguilles étaient arrêtées et maman n'avait pas réussi à la récupérer; d'ailleurs, elle avait dit qu'elle était « kaput », ce qui voulait dire « mort » pendant la dernière guerre. Ses yeux, je n'ai pas eu le courage de les fermer. De toute façon, à la maison, on a un spécialiste pour ça.

Les nouilles étaient un délice, surtout les lardons. Plus on en met, meilleur c'est. Il y a la crème, qui adoucit, et eux qui pincent le palais. En les dégustant, je me demandais : « Quelle différence entre la chair du porc, la chair du cheval, la chair de l'homme? » Dans tout cela court quelque chose de chaud fait pour s'éteindre un jour. On pleure sur l'un, on bouffe l'autre avec des herbes ou du râpé. Finalement, c'est l'idée qu'on s'en fait.

CHAPITRE II

MOI, LA POISON

On m'appelle « la Poison ». On vous rajoute un nom, comme ça, pour se faire plaisir, et il vous colle à la peau le restant de la vie. Vous êtes une vieille grand-mère édentée, et il en reste pour vous appeler « Coco », « Bijou », « Chaton » ou je ne sais quoi.

Il paraît donc que, depuis toujours, j'empoisonne. Mais quand on arrive dans sa famille en quatrième position, il faut bien monter la voix, sortir les ongles et affûter son bec : question de survie!

Côté physique, je suis la moins réussie. Claire, « la Princesse », est superbe et tire au maximum parti de ses atouts. Bernadette, dans le genre mi-mec, mi-fille, toute en muscles, volonté, avec le langage adapté, plaît énormément. Personne ne résiste à Pauline; elle n'a qu'à vous regarder avec ses yeux qui feraient sangloter une pierre. Moi, rien de spécial. Taille, cheveux, visage : moyens. Jambes moyennes. D'ailleurs, à dix-huit ans, je n'ai pas l'impression d'avoir encore été désirée pour mon corps. J'excepte, par honnêteté envers moi-même, Bobois, le quincaillier, qui m'a entraînée l'hiver dernier dans sa cave pour me montrer le trou où il cherchait un trésor, et c'est autre chose qu'il m'a fait voir. Mais celui-là est un malade qui désirerait une chaise – question glandulaire, dit papa qui m'a interdit de retourner seule m'approvisionner, comme si ma vertu était menacée – et en plus, Bobois n'est pas un violeur, seulement un exhibi qui ne s'attaque qu'aux petites pas en mesure de se défendre à cause du respect humain.

J'ai compris l'expression « essuyer les plâtres » quand, après mon bac, l'année dernière, j'ai réclamé un an de réflexion aux parents et qu'ils m'ont ressorti l'exemple de la Princesse dont l'année de réflexion a duré trente-six mois, jusqu'à son mariage pratiquement. Pas question que je suive le même chemin, comme si c'était mon tempérament!

J'avais pensé à missionnaire, médecin sans frontières, brigade des mineurs, juge d'enfants. On a étudié ça sérieusement avec maman et conclu qu'en gros j'avais envie de m'occuper de jeunes mal barrés. Soit ceux de naissance parce qu'ils ne sont pas fichus comme les autres, soit ceux d'adolescence quand ils n'ont pas compris ce qu'ils faisaient là et, en attendant de l'apprendre, cassent tout pour se faire entendre.

Ce n'était pas sorcier de comprendre d'où venait ma vocation. Il y avait eu Gabriel, un évadé du redressement, que je n'avais pas réussi à sauver; et maintenant le désir naturel de copier ma mère, après m'être opposée à elle pour affirmer ma personnalité; ma mère est visiteuse de prison. Bénévole : ça ne rapporte pas un sou à la maison.

Elle a essayé de me faire comprendre que c'était un métier difficile, mal payé et aux débouchés nuls, étonnez-vous que les délinquants ne s'en sortent pas, les pauvres. Elle se demandait en outre si je ne les idéalisais pas, leur donnant toutes les excuses et imaginant merveille de mon cœur, mon charme et la science que je suis en train d'acquérir.

Pour vérifier la profondeur de ma vocation, on m'a inscrite dans une école d'éducateurs, à Pontoise. C'est tout nouveau. On a langue maternelle et étrangère, psycho, secourisme, stage ou colo obligatoire avant la fin de l'année.

Pour ce qui est de la psycho, j'ajouterai qu'entre mon filleul, Gabriel, presque cinq ans, à qui il faudra bientôt expliquer que celui qu'il appelle « papa » n'est pas le vrai, ce qui risque de ne pas lui faire plaisir[1]; les jumelles de Bernadette, quatre ans, que j'appelle Mono et Zygote parce qu'elles viennent du même œuf, et qui vont s'appuyer toute la gamme des problèmes d'identité, et le fils de Pauline : Benjamin, trois ans, qui vous fixe comme s'il avait déjà tout compris; sans compter les parents qui doivent se taper en douce les problèmes de la cinquantaine, ménopause, démon de midi, retraite à l'horizon, j'ai déjà un environnement proche très riche à explorer.

Au centre d'éducateurs, je me suis déjà fait une amie : Mélodie. Elle a presque mon âge, mais ne s'est pas branchée pour les mêmes raisons que moi sur la jeunesse en péril. Elle, c'est pour l'ordre. Elle a horreur de ce qui dépasse. Il faut absolument qu'elle remette dans le rang sinon elle se pose des questions. Ça n'a pas fait du tout plaisir à sa mère qui se réjouissait de la voir arriver derrière le comptoir de sa mercerie-bonneterie. Mais calculer la profondeur des bonnets de soutien-gorge ne souriait guère à Mélodie à qui ça aurait cruellement rappelé qu'elle, elle taille du zéro.

Notre prof principale : une sadique qu'on a surnommée « Point noir » – vous devinez pourquoi et peu d'espoir à l'horizon vu ce qui entoure les comédons – nous a à la mauvaise. Outre notre

1. *Claire et le bonheur*, tome 3.

fraîcheur de peau, elle ne nous pardonne pas notre jeunesse heureuse et nous reproche de n'avoir jamais vu de près un délinquant.

Avec Mélodie, on a donc décidé de remédier à cette lacune. Mais si, dans les journaux, ils pullulent, mettre la main sur un, pas facile!

L'idée m'est venue de papa qui essaie d'apprivoiser un rouge-gorge :

Il met une grosse miette de pain trempée dans du lait près de la porte de la cuisine et fait semblant de se plonger dans Balzac. Le rouge-gorge rebondit d'avant en arrière pendant des heures avant de se décider. Papa rapproche chaque jour un peu la miette de sa chaise. C'est ce qu'on appelle les petits plaisirs de l'âge mûr.

Mélodie était contre mon idée, évidemment. Mélodie est classique. Elle aurait plutôt vu une annonce dans les journaux spécialisés : « Jeunes filles cherchent délinquant à étudier. Discrétion garantie. » Mais elle a fini par céder. Elle cède toujours, preuve qu'elle n'a pas eu de sœur.

C'est sa Mobylette qui servira d'appât parce que son père travaille aux pièces détachées dans un garage qui lui fait des prix, contrairement au mien qui travaille aussi, en un sens, aux pièces détachées, mais à l'hôpital et tout ce qu'on peut espérer de gratuit c'est un lit.

La pêche miraculeuse est prévue pour cet après-midi, seize heures, face au grand magasin de Pontoise. Quant à ce qui va mordre, mystère!

CHAPITRE III

JEUNES FILLES CHERCHENT DÉLINQUANT

C'EST plein de monde gris et sans sourire dans la rue : surtout des femmes qui font le marché du soir et me font penser à des cuisines, des lessives monstres, des gosses partout, le sort des femmes.

Nous sommes à l'intérieur du grand magasin, côté parfumerie et colifichets, tout près de la sortie, à trois enjambées du deux-roues de Mélodie perché sur sa béquille, contre le trottoir. Mélodie, qui arbore avec succès jupon à volants et corsage dentelle fabrication maison, profite de toutes les occasions pour se faire parfumer. *Folie noire* et *Désir fou* dominent. On pourrait la tenir au sillage. Moi, je n'aime que les odeurs de nourriture. J'attends pour être cliente de lire sur les étiquettes « soufflé au fromage », ou « tarte au citron ».

Pour passer le temps, j'arrange dans les cheveux de mon amie des peignes pailletés qui mettent en valeur leur drôle de couleur rouge. On s'apprête à désespérer quand ça mord!

Il doit avoir vingt ans : blouson de cuir, pantalon collant, bottes allongées. Ça ne peut être que celui que nous espérions. Il zigzague autour de notre appât, hésite, regarde autour de lui, se décide.

Au moment où il met les mains sur le guidon et rabat la béquille, je fonce : « Salut! »

J'ignore ce qui le surprend le plus : mon entrée en matière, ou le fait que l'engin n'ait pas bougé d'un centimètre. On a travaillé au fil de nylon transparent : toute une bobine.

« Salut, dit-il enfin. C'est à vous, la mob?

– C'est à Mélodie.

– Mélodie d'amour? »

J'apprécie l'originalité. Et aussi le fait que c'est un dur : le flagrant délit, ça ne le touche pas. Il a remis les mains dans ses poches, prêt à nier sa pulsion d'agression. Je m'apprête à lui faire comprendre que je n'ai pas l'intention de le donner, quand un cri strident de Mélodie fait sursauter la rue, et je remarque seulement qu'elle ne m'a pas suivie.

Elle est toujours à la porte du grand magasin, mais accompagnée! Un costaud lui tient la grappe, l'autre vocifère en montrant les peignes que dans l'émotion de l'heureuse issue de notre projet, elle a oublié de remettre à leur place.

Je comprends au quart de tour : on l'accuse, injustement, d'un vol. J'hésite! D'un côté, mon délinquant : une occasion qui ne se représentera peut-être jamais; de l'autre, cette petite jeune fille sans grand intérêt finalement, garantie par une maman mercière-nouveautés et un papa mérite agricole. Je ne vois pas ce qui peut lui arriver de bien terrible à part une correction. La taule, ça m'étonnerait pour une non-récidiviste. Et puis, l'innocence finit toujours par triompher.

Voilà que les deux types la soulèvent de terre pour la rentrer à l'intérieur. On voit le moteur sous sa jupe à volants. Parmi ses cris, je crois bien distinguer mon nom. Je me détourne.

« Une de plus, soupire mon délinquant.

– Et pour trois peignes pailletés, renchéris-je. Une misère! »

Il me fixe d'un drôle d'air : il se méfie, normal! Ça pourrait être un piège. Je pourrais être une sorte de provocateur malgré mon jeune âge. Mélodie a disparu après quelques ultimes tentatives sonores pour me compromettre. Le spectacle est terminé et la circulation a repris son cours. Je ne suis pas sans remarquer que mon délinquant semble s'intéresser à une petite voiture de sport garée dans les clous et dont la portière est entrouverte : pour peu que le propriétaire ait laissé imprudemment la clef de contact pour aller chercher son journal, ma proie va m'échapper.

« Vous voulez savoir pourquoi elle bouge pas, la mob de Mélodie? »

Quand je sors de ma poche le gros sécateur de mon père, je récupère toute son attention. Je commence à couper les fils, profitant de son silence perplexe devant mon outil de travail pour sonder un peu le terrain.

« Alors, comme ça, vous n'avez pas de parents?
– Et pourquoi j'en aurais pas! dit-il. Vous êtes vraiment gentille, vous! »

Je ne me laisse pas prendre. Le signal d'angoisse a retenti dans son conscient : se défendre contre toute émotion est pour lui une nécessité vitale. La moindre lézarde et son fragile équilibre s'effondre. Je le regarde bien au fond pour lui montrer que je comprends.

« Avoir des parents qui vous laissent tomber, c'est parfois plus triste que de ne pas les avoir connus. Même pas l'occasion de les idéaliser! »

J'accompagne mes paroles d'un soupir venu des entrailles. Son visage s'adoucit.

« Allez, dit-il. Faut pas vous frapper. On finit

toujours par s'en tirer : surtout quand on est mignonne comme ça. »

Je crois comprendre que le compliment m'est destiné; ça me fait plutôt plaisir, venant d'un type qui ne doit avoir aucun mal à en culbuter tous les jours quelques-unes. J'ai dégagé la première roue. Un petit cercle de gens se forme autour de nous, qui a l'air de s'intéresser vivement à ma nouvelle forme d'antivol. Il y a surtout une dame pincée, l'air trop catholique pour n'avoir pas de vilaines pensées. Mon délinquant paraît atteint de nervosité.

« Vous êtes sûre que vous la connaissez, cette mob?

— Autant que je connais Mélodie.

— Et où elle est, Mélodie?

— En train de passer un sale quart d'heure avec les flics. »

Là, il a un geste bizarre vers la poche de son blouson : celle où on met son portefeuille. J'ai achevé mon travail. C'est le moment de vérité. Je ne dis plus rien. J'ai la gorge trop serrée. Il tend les mains.

« Laissez-moi faire! »

Il la prend ni une ni deux, mais au lieu de l'enfourcher, il la monte sur le trottoir. J'essaie de comprendre quand il fait demi-tour et s'engouffre dans la petite voiture mal garée. La clef y était bien : il démarre et prend la place de mon deux-roues. Les choses se précipitent trop pour que j'aie le temps de faire le point : la dame trop catholique de tout à l'heure rapplique avec un représentant de l'ordre. Il semble bien que c'est à moi qu'ils s'intéressent. Je n'ai que le temps de lâcher mon sécateur dans les sacoches de Mélodie, et me voilà embarquée moi aussi.

CHAPITRE IV

SOUFFLÉ POUR DEUX

EXPLIQUER à trois gars en uniforme dont le métier est de douter, comment deux jeunes filles sans mauvaises pensées décident de faire leurs travaux pratiques en se branchant directement sur le quotidien d'une grande rue commerçante, n'a pas été facile.

Ils disaient que je leur chantais là une drôle de mélodie et auraient souhaité rencontrer mon amie pour voir si nous accordions nos violons, et on prétend que la police manque d'imagination! Quand je leur ai expliqué que mon amie avait été embarquée, par des concurrents à eux, pour trois peignes pailletés empruntés à l'étalage, ça n'a fait que les enfoncer un peu plus dans leur erreur de jugement.

Bon! Je voulais bien être mise à l'ombre, cela me permettrait peut-être de parler à un délinquant, un vrai, et me donnerait l'occasion de rencontrer ma mère dans un autre décor, son métier bénévole consistant à visiter les prisonniers. Sur ma lancée, j'ai signalé la profession de mon père.

Ça a tout changé – j'aimerais bien être, un jour, appréciée pour moi-même – le grand moustachu a appelé le cabinet médical, et j'ai pu entendre la voix calme du docteur Moreau. « Reconnaissait-il avoir une fille de dix-huit ans appelée Cécile? » A l'autre bout du fil, la voix s'est affolée. « Vous inquiétez pas, docteur, elle est entière », a dit le moustachu. Et après quelques palabres, j'ai été libérée.

Il était six heures quand je suis arrivée à *La Marette*. Maman avait réunion jusqu'à sept. Personne pour m'accueillir, sauf Germain qui n'était plus en état de m'écouter, et pour cause. Il faisait presque nuit : c'est vraiment triste, octobre! L'été se ramasse avec les feuilles : au moins dix brouettées dans les allées : ça serait pour mon dimanche.

Je cherchais à la cuisine le sac pour aller aux pommes quand le téléphone a sonné : Pauline!

« Poison?

— Soi-même.

— Tu es libre ce soir? »

Elle avait une drôle de voix coincée.

« Pour baby-sitter Benjamin?

— Pour venir me voir. »

J'ai accepté, bien qu'en ce qui concerne les visites amicales c'est gratuit. Avec mon baby-sitting, je me fais une fortune et si on compte dîner et petit déjeuner que je prends à l'extérieur, ça fait une sérieuse économie à la maison. Contrairement à ce que tout le monde dit, je ne suis pas radin, mais dans mon pays, on ne parle que fric et économie depuis quelque temps et je me mets au diapason. Bref, entre Gabriel, Benjamin, Mono et Zygote, je n'use pas beaucoup les draps de la maison.

« Paul n'est pas là?

— Ne me parle pas de ce salaud », a dit Pauline.

Et elle a raccroché avant de satisfaire ma curiosité.

Je suis allée cueillir mes dégénérées; le pommier est sur sa fin, lui aussi, sa sève tourne et ses fruits sont biscornus. J'ai choisi celles des oiseaux. Les

22

malins se servent sur la branche et s'y connaissent en fondant, en sucré. J'ai ramassé quelques noix en passant, non sans retirer d'abord l'écorce avec mon talon à cause de cette saloperie de brou... « Ne me parle pas de ce salaud... »

Le « salaud », c'est Paul, trente-quatre ans. Dans les journaux, on l'appelle « Démogée » tout court ce qui est bon signe pour la postérité. Elle l'a pourtant voulu, ma sœur, avant de le traiter de salaud. Elle l'a voulu contre tout le monde à commencer par lui et, disait papa, contre la raison! Et elle l'a eu, il y a quatre ans, à l'église de Mareuil quand il a dit « oui » en lui passant l'alliance devant Dieu, la famille et les intimes. Pour moi, c'est l'église qui compte, pas la mairie. La mairie, ça se défait en neuf mois par consentement mutuel, jusqu'ici, pas Dieu. Ils ont maintenant Benjamin : un petit brun aux yeux de son père qui a l'air de tout savoir à l'avance.

Je reviens doucement vers la maison et j'essaie de penser au mariage. Difficile! Je vois tout de suite un lit. Pour les parents, c'est le contraire : impossible de voir le lit. Normal! Quand je verrai le lit pour les parents, je serai devenue adulte : j'aurai accepté qu'ils aient fait l'amour pour m'avoir.

Bonne surprise à la cuisine : Maman est rentrée. Lait, farine, gruyère, œufs, il y a du soufflé dans l'air. Ma mère se sent coupable vis-à-vis de moi parce qu'elle est moins à la maison, alors, pour enterrer ses remords, elle nous fait des dîners extra; résultat tout le monde grossit.

« Ça va, chérie?

– Ça va! »

Je casse mes noix, je les pile dans le miel en gardant surtout la petite peau amère qui dit qu'elles viennent de tomber, j'ajoute une noisette de beurre salé.

« Où sont passés mes raisins de Corinthe?

– A droite, dans le buffet, près du vinaigre! »

Maman tourne la sauce blanche. Quand j'étais petite, c'était moi qui versais le lait en filet et je me sentais grande. Maintenant que je suis grande, j'aimerais réessayer pour me sentir petite.

« C'était bien, cette réunion? Vous avez parlé de quoi?

– De la nouvelle loi, tu sais? On va faire travailler les jeunes détenus au lieu de les laisser à ne rien faire. Mais pour que ce soit vraiment profitable, il faut qu'ils acceptent le marché.

– Et elle se passait où, cette réunion d'acceptation?

– Dans le bureau d'Etienne, comme d'habitude.

– Vous étiez tous les deux seulement?

– Nous étions toute l'équipe. »

Pour donner le change, je suppose, ma mère prend une bouchée de noix malgré ses aphtes. Etienne est le directeur de son truc bénévole. Il est un peu moins vieux qu'elle : trente-huit ans! Il est venu ici deux fois pour discuter et prendre un pot. Je cirais par hasard mes bottes dans l'entrée, près de la porte et j'ai tout entendu. Maman parlait différemment d'avec papa : en plus gai, en plus jeune. A un moment, ils se sont tus longtemps. J'ai toussé. Ça a repris.

La sauce refroidit, et elle bat les blancs d'œufs à l'électricité bien que ça casse la fibre et ruine la conversation.

Je lui crie que son soufflé ça sera pour deux parce que, moi, je vais chez Pauline. Elle a l'air sincèrement déçue. J'ai bien envie de lui raconter pour « le salaud », bien que je ne sois pas sûre qu'elle mérite ma confiance, quand on sonne à la porte.

« J'y vais! »

La grosse dame bien coiffée, qui m'assassine du

regard, c'est la mère de Mélodie, Mme Grave; les effluves de *Magie noire* et *Désir fou*, c'est sa fille. Elle a les yeux comme des huîtres et il paraît qu'on désire parler au plus vite à ma mère. Ça sent le brûlé, je veux dire, dans l'entrée. Je les installe au salon, et remarque que Mélodie fuit mon regard, signe de trahison si vous voulez mon avis.

Maman est en train de râper le gruyère du haut de son ignorance. Si vous ne voulez pas rater votre soufflé, il faut attendre que la sauce soit refroidie avant d'ajouter le fromage, sinon, en avant pour la glu. Je lui annonce la visite et lui propose de continuer à sa place, ce qu'elle accepte avec reconnaissance. La cuisine communique avec le living, ce qui me permet de suivre les préambules.

Mélodie n'est pas encore tout à fait majeure bien que sur le point de l'être; en attendant, ses parents sont responsables de ses actes. Les salauds du grand magasin ont appelé sa mère pour lui demander de venir récupérer sa fille qui avait encore dans les cheveux les pièces à conviction.

La mère de Mélodie a toujours mené une vie irréprochable, tout le monde peut en témoigner; elle mourrait plutôt que d'emprunter une épingle et cela a été une épreuve très dure pour elle que d'aller chercher sa fille devant le directeur du grand magasin, les employés et Mme Lafleur, sa voisine, qui par malchance se trouvait là, c'est toujours comme ça. Il paraît que personne ne croyait que c'était pour rendre service à la société que Mélodie avait mis les peignes dans ses cheveux.

Je crois qu'on m'appelle. J'y vais. J'ai préparé un beau plateau d'apéritif avec noisettes et tout, mais personne ne veut rien. Il semble qu'on attende ma version de l'événement. Je dis la vérité : tandis que Mélo essayait des peignes, nous avons cru qu'on s'apprêtait à voler sa Mobylette alors qu'il ne s'agissait que d'un minet sans intérêt qui voulait échapper à une contravention en prenant sa place, voilà!

C'est à ce moment précis que mon père fait son entrée et il a quelques questions à me poser sur la suite. Quand il parle comme ça, on sent des bombes derrière sa voix et c'est pire que s'il crie. Me croyant accidentée, il a passé, dit-il, une seconde atroce au moment où la police l'a appelé. Je constate que je suis aimée, ça fait toujours plaisir, j'en ai presque les larmes aux yeux, Mélodie aussi, je le vois.

Je m'explique : une bonne femme en mal de frissons a imaginé que je volais une Mobylette et ramené un flic pour m'embarquer. Entre parenthèses, Mélodie d'un côté, moi de l'autre, les coupables peuvent courir, c'est les innocents qui paient. Enfin, tout est bien qui finit bien puisque nous avons été toutes les deux libérées sur la bonne mine de nos familles.

Tout est bien? Mme Grave se permet d'en douter car si nous sommes là, en effet, ce n'est pas le cas de la Mobylette de Mélodie qui a bel et bien disparu. Et cette Mobylette, Mélodie l'avait empruntée au garage de son père, sans rien dire, ça va de soi; et elle n'était pas assurée, ce qui fait pour la famille un trou important dans le budget en plus du déshonneur.

C'est dans le R.E.R. qui m'emmène chez Pauline, avec une heure de retard, que je réalise pour le sécateur, envolé en même temps que le deux-roues de Mélodie. Il se trouve que nous sommes en pleine toilette de rosiers. Ça va barder!

CHAPITRE V

MÊME LES MAMANS PLEURENT

« NON, dit Pauline. Pas question! Je n'accepterai jamais. Ou bien il fallait m'avertir avant. Dire : " La fidélité, pour moi, aucune importance! "

– Et tu te serais pas mariée avec lui? »

Elle s'arrête en face de moi, réfléchit, avec ce quelque chose de sombre dans le regard qui veut dire la souffrance.

« Sans doute que si! Mais au moins j'aurais été prévenue! »

Elle l'a été il y a trois jours. Par un journal qui s'occupe de spectacles. Paul a adapté un de ses livres pour le cinéma, et maintenant il travaille avec le metteur en scène : direction d'acteurs. Ce journal dégoûtant racontait qu'il dirigeait tout particulièrement la vedette du film : Nina Croisy; qu'il la dirigeait jour et nuit...

« Le salaud, le salaud, le salaud, je le déteste... »

Ça veut dire qu'elle l'aime. Il n'a pas cherché à nier. Il a pris ma sœur dans ses bras et lui a dit que cette histoire n'avait pas d'importance, ne changeait rien entre eux... et il est parti pour Saint-Tropez, où on tourne la grande scène tragique du départ, pour continuer à diriger Nina Croisy.

Pauline est en boule sur le canapé, rassemblée

autour d'un coussin comme on fait quand on a mal au ventre. La jalousie! Il paraît que ça vous mange de l'intérieur et ne vous laisse aucun répit. D'après Mme Grosso-modo, qui en a tâté, vous pouvez comparer à un mal de dent ajouté à des chaussures trop petites.

Je viens m'asseoir à ses pieds; j'appuie ma tête contre ses genoux. Je ne saurais pas prendre quelqu'un dans mes bras, question de pudeur!

« Comment ça se passait entre vous? Je veux dire : " sexuellement "? »

Elle m'envoie un grand coup de genou dans la tempe, et me regarde comme si elle regrettait de m'avoir pour sœur. Je voudrais bien que quelqu'un m'explique! La sexualité, vous n'entendez parler que de ça toute la journée avec détails et tout, et quand vous posez la question dans le souci de l'épanouissement d'autrui, c'est comme si vous lui pointiez un couteau sur la gorge. Quand j'ai demandé à Mme Cadillac, la boulangère, comment ça se passait pour elle et son deuxième mari, elle s'est mise à ressembler à ses tartes aux fraises, et m'a claqué la porte au nez.

« Ce n'est pas la question, dit Pauline. Même si ça marchait fantastiquement, ça ne changerait rien. Ce que Paul cherche, c'est des nourritures extérieures. Il dit qu'un artiste ne peut pas vivre sans nouveauté : les femmes en font partie. Voilà! »

Elle me prend le bras et y enfonce les ongles : « Tu sais ce qu'il m'a dit, Poison? Que j'étais libre moi aussi. C'est ce qui m'a fait le plus mal. »

La voilà à nouveau debout. Elle ne tient pas en place. Puisqu'on est au chapitre « corps », je dois dire qu'elle n'en a plus. Déjà, il n'y avait pas grand-chose, mais là, en haut comme en bas, le désert!

« Je ne peux plus supporter cette baraque! En plus, elle sent! Elle sent " lui "! »

Papier, tabac et autre chose que je trouvais sur papa et qui me donnait mal au cœur quand je luttais contre mon œdipe, c'est passé maintenant. Mais Pauline a raison : cette « baraque », c'est Paul! Il a toujours habité là. Avec ses quatre ans de mariage, ma sœur vient d'arriver, en somme. Paul l'a prise et l'a rajoutée dans un petit coin en lui demandant de ne pas faire trop de bruit; Pauline a rajouté Benjamin dans un autre coin. Voilà le tableau!

« Je vais chercher un mouchoir. »

J'en profite pour visiter mon neveu. Il couche dans la bibliothèque : une drôle de pièce ronde bourrée de livres jusqu'au plafond. On roule son lit ailleurs quand il gêne; inutile de dire qu'il circule beaucoup.

A presque quatre ans et neuf heures du soir, on pourrait espérer que ça dort, pas du tout! La télécommande sur son ventre, Benjamin regarde la télévision où ça castagne dur. Ici, personne ne lui mesure le spectacle, contrairement à nous qui n'avions droit qu'à deux films par semaine en plus du dimanche.

« Cil! »

C'est comme ça qu'il m'appelle : « Cil. » J'aime. Ça vole. Il éteint le poste et se recroqueville en me regardant faire Dracula avant la grande bouffe. Je goûte un peu de cou, un morceau d'oreille et de joue, sans oublier au passage les yeux qui roulent sous mes lèvres. Mais rien! Lui arracher un sourire, c'est un exploit. Un rire, n'en parlons pas. A chaque fois, on a l'impression que ça va tourner au déluge.

« Dis donc, Benjamin! Tu crois que c'est une heure pour regarder la télévision? Tout le monde dort, même Daffy Duck et Speedy Gonzalès...

– Et mon papa?

– Pas ton papa. Lui, il travaille. »

En voilà un que je ne suis pas pressée de voir au lit!

« Mon papa est à la mer, déclare-t-il. Barbara me l'a dit. »

Barbara est la jeune fille anglaise qui s'occupe de Benjamin quand il n'est pas à la maternelle.

« Et maman a pleuré, d'ailleurs », ajoute-t-il.

Son regard attend une explication. Je ne me presse pas. Je le connais. Quand vous lui parlez, on dirait qu'il tourne et retourne vos phrases dans sa tête comme de beaux calots de verre avant de se décider pour la couleur. Et une fois décidé, il vous ressert ça six mois après.

Sa mère a pleuré parce que son père est un salaud. Impossible de le lui dire : l'image d'un père se lézarde toujours assez tôt.

« Même les mamans pleurent, dis-je. Et ça fait drôle aux enfants parce qu'à la fois ça leur fait de la peine et du bien. »

Il acquiesce gravement.

« Les mamans ont pleuré pour Germain, et les enfants ont pas eu le droit de voir quand on l'a mis dans le trou! »

Et il ajoute :

« Qu'est-ce qu'il fait maintenant, Germain? »

Je frappe son front pour qu'il comprenne bien :

« Il galope... là. Ça s'appelle le souvenir. »

Il ferme les yeux pour le voir un moment. Parfois, les fins d'après-midi, quand on ne sait pas bien si c'est encore le jour ou déjà la nuit, j'ai l'impression que tout le jardin se rassemble autour du pas de Germain. Il me semble voir bouger les branches du peuplier sous sa bouche; j'entends même son hennissement. Je suppose que c'est pour ça qu'on l'a enterré à *La Marette*.

« On le lira aussi? »

Benjamin a tiré de ses draps un livre en anglais, plein d'animaux, que lui a offert Barbara.

« Bien sûr! On l'écrira d'abord, et après on le lira. » Un livre exprès pour lui qui s'appellera : *Germain : cheval bien aimé.* Mais maintenant il faut dormir.

Je l'embrasse sur son regard qui m'intimide, je subtilise la télécommande en passant et laisse la porte entrouverte parce qu'il a peur d'être abandonné.

Pauline m'attend au salon. Elle fume. C'est nouveau.

« J'ai un service à te demander. »

Elle a dit ça tout à fait comme à *La Marette* quand elle me chargeait d'aller annoncer aux parents les choses désagréables.

« C'est quoi?

– Je voudrais que tu m'emmènes Benjamin!

– Que je t'emmène Benjamin?

– Je pars. Je rejoins Béa en reportage-photo. Ce soir. »

Elle a tout mijoté! Elle nous déposera à *La Marette,* avant de prendre son train de nuit. Maman gardera Benjamin le matin, l'après-midi on demandera à Mme Grosso-modo qui est déjà coincée avec sa mère paralysée, et je le récupérerai en rentrant de mon cours.

Je la regarde bien en face.

« Pourquoi tu l'as eu, Benjamin? C'est un accident? »

Elle ouvre de grands yeux : « Mais non! Qu'est-ce qui te prend de dire ça?

– Parce que tu le laisses tomber. Parce que tu te fous de le larguer.

– Je ne m'en fous pas. Je l'ai eu parce que j'aimais Paul.

– Et lui, tu l'aimes?

– Evidemment, dit-elle. Mais je n'en peux plus de rester là toute seule pendant que ce salaud... »

Ça recommence pour la rivière.

« Viens à *La Marette*. Tu ne seras plus toute seule.

– Chez papa-maman? Ce serait trop facile... »

Et elle ajoute tout bas : « Et trop bon! »

« Alors, au moins, appelle maman. Demande-lui ce qu'elle en pense? »

Evidemment, pour maman, si vous comptez Mélodie, ce sera sa soirée, mais on ne choisit pas toujours!

« Je sais d'avance ce qu'elle me dira : " Reste là, attends. "

– Et tu pars où? »

Elle ne répond pas. Au cas où on irait la chercher, je suppose.

« Et quand reviendras-tu, on peut le savoir?

– Quand ça ira mieux. J'essaierai de rapporter un papier pour mon journal.

– Et quand Paul va rentrer, plus de toi?

– De toute façon, " plus de nous ", murmura-t-elle.

Je me lève, et je vais à la fenêtre. « Plus de nous. » Paris me fait mal : ce ciel, ces toits, ces cheminées et tous ces gens dessous qui ne pensent pas à moi. Il y a comme un poids dans ma poitrine : quelque chose de mort. Je me souviens quand Pauline pleurait parce qu'elle voulait dire « nous » avec Paul. Est-ce que ça existe seulement les « nous »? J'ai envie d'avoir dix ans, qu'on soit toutes les quatre à *La Marette* avec maman qui ne travaille pas, et qu'on n'en parle plus. C'est ça que je sens mort : ce temps-là.

Et en plus, j'ai faim, moi! Et apparemment, rien n'a été prévu. Les malheurs, ça me creuse, elle le sait pourtant, ma sœur. Dans les enterrements, je mange pour dix, pour tous ceux qui n'osent pas. Grand-mère qui me comprend dit que je fais ça pour l'équilibre, ce qui n'empêche qu'une fois sur deux ça finit par une indigestion.

« Je suppose que tu as faim... » dit Pauline.

Quand même! Il lui reste un soupçon de cœur. Elle file à la cuisine, ce qui me dispense de répondre, et vu l'état de ma gorge, ça vaut mieux. « Plus de nous »... Je la rejoins. Ce n'est pas le Pérou dans son Frigidaire : rien que du surgelé.

« A défaut de retenir Paul par les sens, tu aurais pu essayer par la bouffe! Il paraît que ça marche, avec les hommes... »

Je n'étais pas sûre que ça serait bien pris mais on lutte comme on peut contre l'étouffement et ça va, nous daignons rire! On met des soufflés surgelés au four – ironie de la vie – et en attendant que ça dégèle, Pauline écrit sa lettre à Paul. Moi, je fais griller du pain que je tartine tiède à la pâte d'anchois avec nappage de crème fraîche.

Pour la lettre, ni récriminations, ni chantage. Exposé bref de la situation : « Je pars en reportage. Ne sais quand reviendrai. Benjamin à *La Marette*. »

J'obtiens qu'elle ajoute : « Peut-être à bientôt. » Ça laisse ouvert.

Après le dîner, Pauline fera les sacs : celui de Benjamin, le sien. Et il sera déjà dix heures et demie. Quand je la verrai sortir du lit son petit garçon aux cheveux de foin noir, quand je le verrai enfoncer sa tête dans son cou comme pour essayer de rentrer en elle, qui a plutôt l'air d'être sa sœur, j'aurai à nouveau tellement mal à la gorge que cette fois, même la louche de caviar, non merci! Je prendrai son livre en anglais avec les images de cheval.

Je m'installerai avec lui à l'arrière de la voiture.

Vers la Défense, ces gratte-ciel somnambules qui se contemplent en se répondant « folie » et feront une sacrée symphonie de verre brisé quand la bombe tombera dessus, Benjamin se redressera et regardera de toutes ses forces les lumières, mais sans rien demander. Je me pencherai sur son oreille, et je lui dirai : « Tu vas voir, on va bien rigoler tous les deux. » J'économiserai le « je t'aime ». Il paraît qu'on n'a pas à le dire aux enfants; ils en ont tellement besoin parce qu'ils sont seuls et fragiles que quand il est là, ils le sentent comme l'odeur de la vie.

CHAPITRE VI

PLUS ÉPOUSE QUE MÈRE

J'ai dit à Benjamin : « On va monter dans le grand bateau, là-bas, où Granny et Daddy dorment déjà. » J'ai pris son sac en bandoulière, serré bien fort sa main, et nous avons navigué dans la nuit, en fixant la lampe-tempête qui se balançait au-dessus de la porte. Le vent passait en longues vagues dans les branches, le jardin semblait plus profond, avec des pièges, comme si la nuit le creusait.

Benjamin soulevait haut ses pieds à cause du gravier; il en a quand même attrapé dans ses chaussons. Nous nous sommes arrêtés pour les vider. On entendait, loin déjà, s'éloigner la voiture de Pauline. Il a renversé la tête et regardé le ciel comme s'il allait pleurer.

« Ce n'est pas le moment de flancher, capitaine, ai-je dit. C'est nous les plus forts et on les aura tous! »

Il s'est grandi et nous sommes arrivés à bon port.

On s'est requinqués avec un vêrre de lait et mes bouchées de noix qu'il a appréciées, surtout le raisin de Corinthe. Il s'agissait maintenant d'atteindre le second étage sans alerter l'ennemi. Pour que l'escalier ne grince pas, vous le prenez près de la rampe : c'était le grand mât, et nous les corsaires. La montée a été rude; quand papa a toussé, on s'est cru perdus, mais non! Victoire totale. Inutile d'indiquer sa chambre à Benjamin, il a tout de suite foncé : celle de sa mère, face à la mienne.

Lorsque mes sœurs se sont mariées, les parents m'ont proposé de changer parce que arrivée la dernière j'avais hérité de la chambre la plus moche, mais pas question! On s'habitue à tout! Et puis, *La Marette* est devenue la résidence secondaire des sœurs et des « rustines », séjour gratuit, service compris. Chacune est donc restée chez elle, avec lits d'appoint pour les petits.

J'ai bordé Benjamin jusqu'au menton et laissé sa porte ouverte avec permission d'appeler s'il se sentait à l'étranger. Il regardait le tableau représentant la mer, qu'un ami peintre a donné à Pauline pour qu'elle se souvienne de lui. Pauline me l'a confié : personne n'a le droit d'y toucher.

Le samedi, les parents lézardent jusqu'à neuf heures. A huit, j'étais à la cuisine, préparant tout pour atténuer le choc. Le jardin était couvert de brume; on voyait à peine la balançoire, accrochée aux branches du pommier. Les petits peuvent y monter tout seuls, et l'herbe est là pour amortir les chutes. J'ai eu une pensée pour la « Princesse » qui ne se balançait jamais sans coussin.

Quand maman est descendue, en robe de chambre, le festin était prêt : chocolat, café, lait et tartines grillées. Benjamin, sur deux annuaires, faisait déjà honneur aux confitures. J'avais préparé le double de café parce que en cas de coup dur, on aime en prendre une seconde tasse.

Les effluves étaient montés jusqu'à la chambre des parents et maman s'attendait bien à me voir, mais pas son petit-fils. Elle l'a embrassé avec joie : « Pauline nous le donne pour le week-end?

– Un week-end prolongé », ai-je dit en appuyant du regard.

J'ai senti maman hésiter à aller plus loin, et j'ai ajouté sobrement : « Pas devant l'intéressé! » Tout ça m'excitait tellement que j'en oubliais d'être triste. Décidément, la nature humaine n'est pas bonne : partager les ennuis réchauffe plus que partager le bonheur : les ennuis on les sent; le bonheur, il faut l'avoir perdu.

Papa est arrivé sur ces entrefaites, tout joyeux d'être samedi, jour de toilette des rosiers, ignorant encore la disparition de son sécateur. De la porte, il a montré ses mains : « Profitez-en, mesdames, ce soir, elles n'auront plus figure humaine. » Il pensait aux épines qui traversent les gants les plus résistants, mais tailler, c'est déjà préparer le printemps.

Quand il a vu Benjamin, ça a été le délire! Ayant été privé d'éléments masculins dans sa famille, il adore ses petits-fils. Il a pensé que cette arrivée était prévue avec maman et a fêté notre invité en lui ébouriffant les cheveux, lui volant sa tartine et le jetant en l'air, tout ce que les adultes font aux petits pour leur faire plaisir. Quand Benjamin a été au bord des larmes, maman a dit : « Je crois que ça suffit, Charles. », et papa est redevenu adulte.

Je leur ai tout raconté pendant la vaisselle. Benjamin, au premier étage, se consacrait à une tâche importante. Charles faisait la plonge pour le malheur des essuyeuses, car chaque petite cuiller lui prend une heure.

« Paul trompe Pauline avec Nina Croisy. Pauline est partie en reportage avec Béa pour essayer de moins déguster. »

Papa a laissé tomber dans la bassine tout ce qu'il venait de laver à grand-peine et m'a regardée de l'œil noir des empereurs d'autrefois qui exécutaient sans pitié les porteurs de mauvaises nouvelles. Maman s'est contentée de s'asseoir. J'ai senti qu'ils avaient de la peine et mon excitation est tombée. J'ai raconté pour Nina Croisy et les nourritures extérieures. Je n'étais pas fâchée de montrer en passant à maman les ravages de l'infidélité.

« Et où est-elle partie? a demandé papa en regardant vers le salon où se trouve le téléphone.

– Direction inconnue.

– Elle n'aurait pas dû, a-t-il déclaré très fort. Elle n'aurait vraiment pas dû. C'était même la dernière chose à faire. »

Je m'y attendais! Du temps de mes parents, les femmes restaient. Les maris les trompaient tant qu'ils en avaient les moyens et comme elles n'avaient ni la pilule, ni un métier, elles attendaient en perdant leur jeunesse que leur revienne un petit vieillard sans intérêt qui les supportait faute de mieux.

« C'est fini, les femmes qui subissent, me suis-je permis de faire remarquer. Même si ça ne te plaît pas, il faut te faire à cette idée.

– Et à celle d'en subir les conséquences? »

Cela m'a choquée de voir Benjamin traité de conséquence, même si c'était l'effet de la désillusion.

« Maman s'en occupera le matin, Mme Grossomodo l'après-midi et moi le soir, ai-je rétorqué. A moins que tu ne songes à ce que son entretien te coûtera, les conséquences seront minimes pour toi. »

Papa était tellement troublé qu'il a passé la balayette à vaisselle pleine de mousse dans ses cheveux et, en les voyant pétiller, maman a été prise d'un fou rire nerveux qui n'a pas été tellement bien accueilli.

« On le dit ou on le dit pas aux sœurs, ai-je

demandé. C'est samedi; elles viennent ce soir; faut décider.

– Tu vas me faire le plaisir d'être un peu discrète pour une fois, a tempêté papa. C'est à Pauline de décider, pas à nous. »

Par la fenêtre, j'ai vu que la brume fondait dans le doré du soleil. Maintenant, on pouvait voir la balançoire avec son siège mouillé, plus foncé. Quand les petits arrivent, ils galopent droit vers elle pour être les premiers et la bagarre commence. Tout à l'heure, je donnerai de l'avance à Benjamin.

« Ce qu'on peut remarquer, ai-je dit, c'est que Pauline est plus épouse que mère. »

A en croire les journaux, c'est en général le contraire qui se produit : les femmes deviennent très vite plus mères qu'épouses et c'est une des grandes causes d'infidélité avec l'usure inévitable et tragique de la passion, l'attrait du changement et le désir de se prouver qu'on est encore bon.

Les parents ne semblaient pas follement intéressés. Papa a terminé les petites cuillers, il a emmené maman dans leur chambre pour continuer la conversation sans quelqu'un qui intervienne à tout bout de champ pour dire n'importe quoi, et je suis restée avec les bols.

Il est redescendu trois minutes plus tard pour me demander si Paul était au courant. « Evidemment non! » Et il est remonté, quatre à quatre, annoncer cette autre bonne nouvelle à maman; voilà les avantages du mariage : on partage tout.

Les avantages des coups durs, c'est qu'ils ramènent les incidents à leur juste proportion. C'est ce que j'ai expliqué à Mélodie quand elle m'a téléphoné, en l'absence de sa mère, pour me dire qu'elle était privée de sortie pendant un mois, et devrait rembourser la Mobylette sur ses économies. Je lui ai conseillé d'entamer une grève de la faim.

Elle était ennuyée à cause de l'amaigrissement sur les points déjà insuffisamment fournis, mais a dit qu'elle allait y songer.

Côté sécateur, papa s'est contenté de soupirer que c'était la série, et il est allé emprunter le sien à Grosso-modo en lui annonçant notre visite pour cet après-midi.

CHAPITRE VII

UNE MARELLE AVEC CIEL ET ENFER

« Ce petit, dit Tavernier, on a l'impression qu'il sort
d'un livre : il est blanc comme une page. Avec deux
parents comme il a, grosso-modo, ça ne m'étonne
pas, mais si vous voulez mon avis, un peu d'air frais
ne lui fera pas de mal.

— Alors, il ne vous gênera pas trop ? demande
maman toute contente. Parce qu'avec votre mère, je
craignais... »

Justement, Benjamin s'en occupe, de sa mère. Il
la regarde en essayant d'assimiler ce que maman lui
a expliqué en route : elle ne peut plus bouger du
bas et il ne faut pas lui en parler pour ne pas lui
faire de la peine. Il pince de temps en temps ses
jambes à travers la couverture pour s'assurer qu'il
n'y a pas de réaction.

« Nous gêner ? proteste Grosso-modo. Vous savez
bien que si je n'avais pas eu vos enfants... »

Mme Grosso-modo est stérile. Question de trompes bouchées : une maladie sexuellement transmise
par son mari qui n'aura pas assez de leurs deux vies
pour expier.

« Et puis, je n'ai pas pris ma retraite pour rien,
dit-il. On jardinera ensemble : pas vrai, mon garçon ?

– D'accord, dit Benjamin, mais c'est mon papa, mon papa et je suis son fils! »

C'est sa manie de rétablir toujours les choses en ce qui concerne sa famille, comme s'il voulait défendre sa·place. Heureusement, Grosso-modo ne se vexe pas. On conclut que maman le déposera lundi à deux heures, avant de partir pour son travail et que je le reprendrai à six, en rentrant du mien.

« De toute façon, c'est juste pour quelques jours, explique maman.

– Ce reportage qu'est partie faire votre fille, c'est sur quoi? » s'enquiert Mme Tavernier.

Avant d'avoir eu le temps de répondre, maman s'aperçoit qu'il est quatre heures! Mes sœurs vont bientôt arriver ce qui, avec les enfants, fait sept personnes en plus, et les quetsches pour la tarte ne se cueilleront pas toutes seules!

Les quetsches intéressent Mme Tavernier dont la mère a du mal à mâcher, bref, affaire réglée pour Benjamin.

Maman l'a emmené au verger. Ils tenaient le panier à deux, et on devinait qu'il se sentait utile : c'était ça aussi le bonheur, se sentir utile. Personnellement, je suis allée faire un tour du côté du jardinier, en prière devant ses rosiers, et je lui ai demandé si ça ne l'ennuyait pas trop d'avoir perdu son sécateur.

« Tu vois, a-t-il dit, ce qui m'ennuie le plus, c'est d'oublier où je range mes affaires. J'étais pourtant sacrément sûr de l'avoir mis dans le garage. Décidément, on ne rajeunit pas! »

Je lui ai fait remarquer que quelqu'un avait pu le lui emprunter, ou le voler, je ne sais pas : les sécateurs, c'est apprécié, en automne.

« Je suis peut-être gâteux, a-t-il répondu, mais pas encore atteint de la maladie de la persécution. »

Je suis allée me balancer un moment; je trouve ça

agréable, physiquement. J'étais triste qu'il se sente vieux à cause de moi. Il me regardait du coin de l'œil, et, quand il s'est redressé, a retiré ses gants et allumé sa pipe, j'ai compris que nous étions mûrs pour une conversation sérieuse père-fille. Il s'est approché sans se presser, l'œil sur l'environnement : il a cueilli une noisette en passant et me l'a offerte.

« Pour Pauline, j'ai peut-être été un peu brusque ce matin, mais tu avoueras que ce n'était pas une façon bien agréable de se réveiller.

– Ce n'était pas non plus palpitant au coucher, ai-je constaté. Ce qui m'ennuie le plus, c'est cette histoire de nourritures extérieures. »

Cela signifiait que ce n'était pas accidentel. Et d'ici que Paul, âgé seulement de trente-quatre ans, soit rassasié de ces nourritures-là, Pauline serait morte de douleur.

« La souffrance de ta sœur peut l'amener à corriger le tir. »

J'ai apprécié l'expression bien que, dans la bouche d'un père, ça ne puisse être qu'innocent.

« Et Benjamin, dans tout ça? Apparemment, ça se passe sans lui!

– Ce genre de choses, hélas! se passent généralement sans les enfants... »

On s'est tournés vers le verger. Benjamin tirait sur les quetsches, comme s'il voulait déraciner l'arbre, tout petit à côté de maman qui lui expliquait.

« Est-ce qu'avec maman vous vous êtes déjà mutuellement trompés? » ai-je demandé.

Papa m'a, à nouveau, regardée avec des nuages dans les yeux.

« Il y a des questions auxquelles on ne doit pas s'abaisser à répondre, a-t-il dit. Et il faudrait quand même que tu comprennes un jour que les gens ont des jardins privés, et que ta façon d'y sauter avec tes gros sabots n'est pas particulièrement sympathique.

– Désolée de t'avoir mis dans l'embarras, ai-je dit, mon jardin à moi t'est ouvert, sabots ou non. »

J'ai pris un grand élan sur la balançoire, j'ai atterri quatre mètres plus loin, et je suis sortie du jardin sans me retourner. Il était cinq heures de l'après-midi : avec un peu de chance, Jean-René serait à l'église. Il y a messe à six heures, le samedi, pour les paresseux du dimanche.

Il était en train de balayer le chœur où l'automne était entré avec les feuilles mortes. J'ai repris mon calme près du bénitier. Les odeurs venaient à moi : la pierre des murs, grise et fraîche, le bois des bancs, brun et chaud, et la présence de quelqu'un qui me parlait dans mon enfance. Quand j'ai rouvert les yeux, Jean-René m'avait repérée; debout devant moi, il attendait mon retour sur terre.

« Viens par là, Cécile. J'ai quelque chose à te montrer. »

C'était, dans une allée, pas loin du confessionnal, une marelle-avion. Ciel, enfer, tout y était avec, en prime, un beau « t » à enfer.

« Et la rue, à quoi elle sert? » ai-je protesté.

Jean-René a ri.

« Ne penses-tu pas que Dieu aime que les enfants jouent dans sa maison? »

Je lui ai emprunté son balai pendant qu'il allait préparer l'autel. Les feuilles faisaient un bruit de gaufrettes. Je n'en ai pas laissé une. Je me sentais réconciliée : dans les églises, les choses reprennent leur place, c'est tout. Mon père avait raison pour les jardins privés; ça m'amuse de m'y promener, surtout s'ils ont de drôles d'odeurs; dans le fond, je ne suis pas bonne.

Jean-René était en tenue devant son autel, les

yeux fixés sur Jésus. Je suis venue à côté de lui, et j'ai regardé aussi. Je sentais cet élan en moi, comme un fourmillement. Je lui ai demandé :

« Qu'est-ce que je pourrais faire de bien ?

– Tu vas d'abord sonner les cloches pour ma messe, a-t-il dit, et le plus fort possible pour qu'il y en ait beaucoup qui se souviennent de Lui. Après ça, tu iras au théâtre. J'ai besoin de quelqu'un pour applaudir fort à ma place ! »

CHAPITRE VIII

L'AUTRE

C'est une salle des fêtes qui a plutôt l'air d'enterrement, comme toute cette ville qu'on a vu pousser sur nos champs, prendre la place de notre blé, nos coquelicots, avaler nos clochers et les petits bistrots où on allait, le dimanche, manger des frites et des tartes aux pommes différentes de chez nous.

Une salle moderne avec éclairage style interrogatoire et, sur les murs, des peintures qui ne ressemblent à rien : des gueules cassées, des couleurs qui hurlent et on vous dit que l'art, ça doit traduire la vie! Si c'est ça, la traduction, non merci!

La seule chose agréable, ça serait les fauteuils : en mousse et à bascule, s'ils n'étaient pas troués de mégots et hérissés de chewing-gum.

Nous sommes une trentaine : âges variés. Personne ne s'est décidé pour la première rangée, j'y vais : le théâtre, c'est voir les acteurs de près, toucher leur voix, les sentir vibrer, rire, avoir peur, comme nous, comme tout le monde, sinon, autant regarder son écran. Je suis à peine assise que plusieurs personnes suivent l'exemple.

Il s'agit d'une troupe qui débute : des jeunes de la ville nouvelle. Initiative à encourager, d'après Jean-René. Ce soir, c'est la première. La pièce s'appelle

L'Autre avec un A majuscule, et elle est d'un dénommé Tanguy qui, à en croire le programme, s'est adjugé le premier rôle.

A l'heure dite, les lumières s'éteignent. Nuit complète. Silence. On se sent tout à coup dans sa chambre et on se demande si on rêve quand, soudain : projecteurs, la scène, « lui ».

Il est très mince, presque maigre, blond et des yeux d'un bleu particulier, à la fois dur et transparent : des yeux-épées. Il nous regarde les uns après les autres, chacun un petit moment, d'abord sans rien dire, et après seulement il commence.

Il dit que voilà, il attend quelqu'un, un autre, *l'Autre*. Va-t-il venir ? Il lui a donné rendez-vous ici, ce soir ou jamais : leur dernière chance à tous les deux en quelque sorte. Un à un des personnages entrent en scène, chacun très différent. A chaque fois, il espère. C'est peut-être Lui ? C'est peut-être Elle ? Mais non ! Malgré l'apparence et ses tentatives sincères pour y croire, ce n'est jamais celui ou celle qu'il attend et, quand la pièce se termine, au bout d'une heure et demie d'espoirs déçus, Tanguy a compris : inutile de perdre son temps : le monde entier pourrait défiler ici, cela ne changerait rien : *l'Autre* n'existe pas !

Le rideau tombe. On applaudit. Sans moi ! Quand c'est beau, je n'ai jamais pu, après, frapper mes mains l'une contre l'autre. Je voudrais au contraire retenir le silence, rester dans ce que j'ai ressenti et qui va disparaître. Je suis triste : je ne suis que moi.

Le rideau se relève. Tanguy est seul sur scène. Il ne sourit pas. Il nous regarde comme tout à l'heure, chacun notre tour, et on dirait qu'il nous accuse de n'avoir pas non plus répondu à son attente. Les lumières sont allumées. Les gens quittent la salle en vitesse, l'air soulagé d'en avoir terminé. Ils se par-

lent à mi-voix, se raccrochent les uns aux autres :
« Tout ce qu'on peut dire c'est que c'était pas gai »,
répète une dame qui n'avait pas dû venir là pour
s'entendre dire que, finalement, dans la vie, on est
tout seul, malgré cinquante millions et des poussières de compatriotes.

Je sors la dernière et, au lieu d'aller vers la sortie,
je bifurque vers les coulisses. Après deux ou trois
erreurs de porte, je trouve la bonne : une pancarte
indique le nom de l'acteur.

Tanguy est en train de se démaquiller en prenant
par poignées les mouchoirs en papier : une boîte
par jour, ça doit être juste. Il me regarde : pas du
tout étonné de me voir là.

« Alors ? dit-il.

— Je suis venue de la part de Jean-René.

— Jean-René ?

— Le curé de Mareuil. »

Je voudrais bien qu'on m'explique ce qu'il y a de
drôle dans le mot « curé » pour que ça fasse
sourire une fois sur deux. Je lui fais remarquer :

« C'est quand même grâce à lui que j'ai su !

— Que tu as su quoi ?

— Que ta pièce était belle. »

Il ne réagit pas tout de suite. Il regarde ses yeux
dans la glace, puis les miens.

« Je n'ai pas l'impression que ton avis soit très
partagé », dit-il.

J'essaie d'expliquer avec chaleur pourquoi, moi,
j'ai aimé ! Comment, sans m'en apercevoir, je me
suis mise à attendre l'*Autre* avec lui. Et – cela me
vient seulement à l'esprit – sa pièce concernait aussi
Pauline, hier : « Est-ce qu'on peut jamais dire vraiment " nous " ?

— C'est toute la question, répond-il. Mais je serais
plus avancé si tu me disais qui est Pauline ? »

Je brosse les grandes lignes du tableau : quatre

sœurs, deux parents, une maison au bord de l'Oise, rien de très artiste mais on ne choisit pas. Je craignais son mépris, il a l'air plutôt intéressé : notre maison, ça ne serait pas la grande rouge avec toutes les cheminées dont une fume souvent?

« C'est elle! Et la cheminée qui fume, c'est celle du salon; les autres sont condamnées.

– Tu as l'air de le regretter... »

Evidemment! N'a-t-il jamais dormi en regardant un feu couver?

Pendant que nous parlons, une fille entre : celle qui faisait payer à l'entrée – vous pouvez rempocher votre pourboire, on se place soi-même – elle s'appelle Maryse. Elle pose une enveloppe sur la table : « Pas fameux! Espérons que ça rendra mieux demain. » Et s'en va sans s'apercevoir que je suis là.

Tanguy glisse l'enveloppe dans sa poche. Je ne bouge pas. Il se lève :

« Tu veux venir prendre un pot avec la troupe? »

J'adorerais mais impossible! Je lui explique : pour éviter des ulcères à mes parents, j'accepte, bien que majeure et libre devant la loi, de ne pas sillonner, la nuit, les rues sur mon deux-roues. Mon père m'a déposée ici; mon beau-frère doit me reprendre. Parions qu'il est en train de m'attendre depuis un petit moment : il faut que j'y aille.

Je dis : « Il faut que j'y aille », mais je reste là. Je ne peux pas expliquer. L'impression de n'en avoir pas fini avec Tanguy. Il enfile son blouson.

« Demain, on joue en matinée, si tu veux revenir... »

Comme un grand souffle traverse ma poitrine. Je vole : nous nous reverrons. Sa matinée est à trois heures : je lui dis qu'il peut compter sur moi. Il ne me serre pas la main; il me fixe avec un sourire intérieur. Qu'est-ce qui m'a prise d'avoir mis ce pantalon de laine qui me transforme en éléphant! Sortons à reculons pour limiter les dégâts.

Portière ouverte sur la nuit, Antoine écoute Bach. Il a l'air soulagé en me voyant.

« Je commençais à craindre qu'on t'ait enlevée! »

Enlevée? En un sens, oui! Je m'assois le plus près possible de lui. Bien qu'il ait toujours l'air triste, il me rassure, Antoine. On dirait qu'il sait où il va.

« Alors, cette pièce, elle t'a plu?
– Pas mal! »

Je branche la conversation sur le quotidien et, tandis qu'il me raconte le dîner, les exploits de notre troisième génération-Marette, le grand numéro d'ombres chinoises du docteur Moreau, la vie ordinaire, j'essaie de réfléchir lucidement.

Je ne suis pas amoureuse, non! Le coup de foudre, très peu pour moi. Ce qui m'attire, chez Tanguy, en dehors du fait qu'il est beau et acteur, c'est ce qu'il a dans le regard : comme une flamme noire. La même que dans le regard de Jean-Marc, mort de cancer du sang avant d'avoir connu son enfant; la même que dans les yeux de Gabriel, parti à même pas vingt ans : l'absence d'espoir. J'ai toujours su lire ça! Je le lis parfois dans le métro, ou dans la rue : une façon de regarder les choses en se disant « à quoi bon? ». C'est peut-être parce que l'espoir, on n'a eu que ça à la maison, mais ça m'arrête, comme s'il y avait tout à coup un trou devant moi. Et, tout à l'heure, quand Tanguy attendait *l'Autre* qui ne venait pas, il me semblait entendre des cris au fond de ce trou. C'est pour vérifier que je suis venue dans sa loge. Là, je me résignais à ce qu'il me dise comme aux autres : « Ça va, tu peux déblayer, ce n'est pas toi. » Mais au contraire, il m'a dit : « Reviens demain. » Je n'ai pas encore eu l'occasion de le décevoir.

Pourquoi dit-on toujours « coup de foudre » pour l'amour? Cela arrive en amitié. Le recevoir, veut dire que tout d'un coup, dans votre vie, il y a un « avant » et un « après ». L'avant est loin derrière déjà, par exemple, moi tout à l'heure, sur la balançoire, discutant avec mon père de la fidélité dans le mariage, maman aux quetsches avec Benjamin, l'arrivée de la famille, toutes ces choses plutôt petites et qui recommencent chaque fois pareilles; et un « après », c'est-à-dire maintenant : une impression de fraîcheur, comme un vent qui aurait dégagé le paysage et vous l'offrirait en neuf. Pourvu que ça dure!

Antoine respecte ma méditation. Il me jette seulement, de temps en temps, un regard interrogateur. J'ouvre grand la vitre. La nuit n'est plus la même, c'est comme si, ce soir, elle s'ouvrait pour moi, quelque part. On a fauché dans les parages et ça sent l'herbe à en mourir. Ça sent l'Oise aussi, nos promenades d'avant, les écrevisses pêchées en fraude à la lanterne, les bains le long de la berge pour éviter les péniches, mais terminé : pollution! L'Oise, j'avais oublié; et aussi comme la vie est forte. J'en ai les larmes aux yeux!

Je voudrais dire à Antoine d'aller moins vite pour prolonger mais, au contraire, il se dépêche parce qu'on m'a gardé des gnocchis au chaud et double ration de tarte aux quetsches « royale », c'est-à-dire couronnée d'une boule de glace à la vanille, initiative de la Cavalière.

Il est onze heures quand il gare la voiture. Nous fermons sans bruit les portières : tout le monde est au lit. Comme je ne me décide pas tout de suite à marcher vers la maison, il me demande :

« Ça va comme tu veux?

– Ça va! »

Mais je ne peux pas m'empêcher de sourire : j'ai, moi aussi, c'est tout nouveau, mon jardin privé!

CHAPITRE IX

DIMANCHE

JE suis allée regarder dormir mon orphelin. Il respirait par petites bouffées, le visage tourné vers le mur. Il avait caché sous sa veste de pyjama son livre en anglais, avec les animaux, comme s'il craignait qu'on vienne le lui voler pendant son sommeil. Mon cœur s'est serré; je me sentais responsable de lui. Et partout dans le monde, d'autres enfants dormaient, certains sans rien de précieux à serrer contre leur poitrine et peut-être personne pour les aimer. Cela m'a fait mal; j'aurais voulu faire quelque chose.

Je me suis accroupie près du lit de Benjamin, et je lui ai dit : « Mon petit vieux, ne t'attends pas à ce que je te lâche, moi. » Il m'a semblé qu'il respirait plus fort, comme pour répondre : « Bien reçu! Cinq sur cinq. » Il paraît que dans leur sommeil, les petits entendent tout ce qu'on leur dit. Les plus grands aussi peut-être; ça ne coûte rien d'essayer!

Sur mon oreiller, il y avait une clef à molette, et un mot de Bernadette me demandant de taper avec l'instrument ci-joint trois coups sur le radiateur dès que je serais rentrée, même tard : elle avait à me parler.

Je me suis d'abord déshabillée. Dix secondes

après l'appel, Bernadette était là, dans le pyjama de Stéphane dont elle avait retroussé les manches et les jambes. Moi aussi, j'aime porter les vêtements d'autrui, surtout les pulls qui ont des odeurs intimes.

Elle m'a rejoint sous l'édredon.

« Qu'est-ce qu'il se passe avec Pauline? »

Je m'y attendais. J'ai regardé dans le vide où, quoiqu'on prétende, il y a des tas de choses passionnantes.

« Rien de spécial. Les parents ont dû te mettre au courant? Elle est en reportage avec Béa.

– Un reportage comme ça... d'un seul coup d'un seul?

– C'est le journalisme, ma vieille. On prévoit pas les événements. Faut toujours être prêt à foncer sur la brèche.

– O.K., développe! Quelle brèche?

– Top secret.

– Ça va comme ça, a-t-elle dit. Terminé avec les salades! »

Elle m'a plaquée au lit, et la torture a commencé. Bernadette a fait de l'art martial. Vous tenir le corps sous un genou, les bras sous l'autre et vous chatouiller partout des deux mains, c'est un jeu pour elle. Pas pour celle qui subit! Surtout si celle-là a eu le malheur de se mettre en chemise. En trois minutes, j'avais lâché le morceau.

Elle est retombée en arrière, mains derrière la nuque, et s'est concentrée pendant que j'essayais de récupérer.

« Si je comprends bien, ce salaud de Paul ne lui laisse pas le choix : c'est comme ça, c'est comme ça!

– Exactement! Et à moi non plus, tu n'as pas laissé le choix! Et si les parents apprennent que je t'ai tout raconté, je me fais écharper.

– Ils n'apprendront rien. Compte sur moi. »

Je me préparais à une bonne discussion sur ces problèmes passionnants, quotidiens mais toujours neufs, quand elle a jailli de mon lit.

« Stéphane m'attend! Salut Poison, à la prochaine. »

C'est ça, l'exploitation! On vous tire votre substance, sur ce « au revoir » et même pas merci!

J'ai rêvé à Tanguy. J'essayais de lui dire quelque chose : il ne m'entendait pas. C'était comme si je n'étais pas là, ou lui, je ne sais pas, tout basculait. Et quand je me suis réveillée, en un sens je me suis sentie sauvée : les choses avaient repris leur place : ma personne sous les draps, une odeur de pain grillé dans l'air, la maison bien costaude au-dessus du bassin, et plein de soleil sur le jardin.

Toute la famille est autour de la table pour le petit déjeuner. Le dimanche, il n'en finit pas. Après ça, grand déjeuner vers deux heures et, vu l'abondance, une tasse de chocolat suffit pour le dîner. Je me fais plébisciter en tant que record-girl de la paresse. Ça fait des joues à embrasser! Je trie les jumelles sans me référer à l'étiquette que Bernadette coud sur leurs vêtements pour éviter les confusions. Simple comme bonjour! La gauchère, c'est Mélanie et la droitière Sophie. Nous avons le bonheur d'avoir des jumelles « miroirs », c'est-à-dire qu'elles passent leur vie à se copier l'une l'autre en croyant qu'elles sont la même : riches perspectives pour l'avenir.

A part ça, yeux bleus et toit de chaume blond clair, elles sont le portrait de leur père; ce qui n'a pas fini d'émerveiller les Saint-Aimond, chez qui va Bernadette un dimanche sur deux.

Sur les genoux d'Antoine, Gabriel, mon disciple en mixtures, se remplit la panse de céréales au miel, mélangées à des quartiers d'orange. Sa tignasse à lui vire au roux. Elle ressemble de plus en plus à celle de son vrai père : Jérémy le Californien. J'ai toujours peur que Gabriel apprenne un jour. Qu'arrivera-t-il? Parfois, on préférerait que ça éclate tout de suite pour nettoyer le terrain.

Benjamin a étalé sa serviette sur ses genoux. A moitié renversé sur sa chaise, il déclare que ses jambes sont mortes comme celles de la dame, et qu'il ne faut surtout pas qu'on lui en parle sinon il sera triste.

« Mais quelle dame, mon chéri? interroge Bernadette.

– La dame dans la maison où on va me garder, récite-t-il, avec le monsieur qui n'est pas mon papa et qui plante. »

Bernadette se tourne vers maman qui fixe son mari, lequel s'intéresse soudain aux motifs du papier mural.

« Quelle maison? »

Benjamin désigne, par la fenêtre, le pavillon des Tavernier. Effectivement, Grosso-modo est à l'œuvre dans son mixed-border; je sens d'ici la bonne odeur de terre retournée.

« Cette maison-là, explique Benjamin. Les jambes de la dame sont au ciel, elle, pas encore.

– Elle a l'âme placée plutôt bas », remarque Bernadette.

Papa ne peut s'empêcher de rire.

« Qu'est-ce qu'il se passe? débarque Claire. Si ce n'est pas trop demander, j'aimerais bien qu'on m'explique.

– Moi aussi, j'aimerais bien, renchérit Bernadette. Et à moins que ça ne te surmène, Stéphane, je propose que tu montes habiller la marmaille pour qu'on puisse parler tranquilles. »

La suggestion vaut aussi pour Antoine. Nos « nouveaux pères » se lèvent aussitôt, abandonnant la partie de dés qu'ils étaient en train de se mitonner dans un coin du salon – ils jouent argent. Je n'aime pas quand Bernadette parle sur ce ton à son mari. On dirait qu'elle l'aime moins. D'après maman, c'est sa vie qu'elle aime moins : plus d'équitation, et deux filles à la fois.

A propos de filles, les jumelles se sont jetées sur Benjamin, vingt doigts chatouilleurs en avant, pour voir si ses jambes sont réellement au ciel. Il les a miraculeusement retrouvées pour leur échapper. Toute la troupe monte au grand galop vers la salle de bain. Bernadette referme la porte et s'y adosse, comme au cinéma.

« A quoi ça sert de passer les week-ends ensemble si c'est pour se faire des cachotteries?

– Des cachotteries? demande maman.

– Benjamin chez les Grosso-modo, qu'est-ce que ça veut dire? »

Papa se lève. Le petit déjeuner, pour lui, c'est sacré. Surtout, celui du dimanche qu'il n'est pas obligé de prendre en courant, un œil sur les malades qui l'attendent. Il respire à fond en fermant les yeux pour retrouver son calme.

« Les Tavernier ont très aimablement accepté de s'occuper de ton neveu quelques heures l'après-midi, en attendant le retour de ses parents.

– Petit détail qu'on oublie de signaler, coupe Bernadette, lesdits parents sont partis chacun de leur côté.

– Comment ça " chacun de leur côté "? s'enquiert la Princesse, toujours au fait de la conversation.

– Voilà exactement ce qu'on aimerait savoir, dit Bernadette. Où, quand, comment et pourquoi? »

La coupe déborde chez papa. Je le vois à son cou qui se gonfle et rougit. Il vient se planter en face de la cavalière désormais sans monture, hélas!

« Ce qui se passe entre ta sœur et son mari ne

regarde qu'eux. Ils répondront à tes questions s'ils le désirent mais ne compte pas sur nous pour le faire à leur place. »

Bernadette se renfrogne. Papa empoche pipe, tabac et matériel à bourrer et va vers la porte. Là, il se retourne vers l'assemblée.

« Et puisqu'il n'y a que moi pour s'en soucier, si vous n'y voyez pas d'inconvénients, je vais empêcher le jardin de succomber sous les feuilles mortes. »

La porte claque. Bernadette se tourne vers maman qui commence à empiler les bols. Rien à attendre de ce côté-là, c'est évident! Des piaillements, provenant de la salle de bain viennent à point pour changer les idées : on monte!

L'inondation généralisée indique la fin des ablutions. Ce sont les jumelles qui sanglotent. Les pères font semblant de consoler mais rigolent comme des bossus. Gabriel, nu et fier, parade. C'est de lui, paraît-il, qu'est venu le problème. Il a fait remarquer à ses cousines, non sans mépris, qu'elles n'avaient rien à l'endroit où lui a quelque chose d'épatant et ça leur a fait beaucoup de peine! L'une en face de l'autre, elles constatent le vide avec consternation en se donnant la réplique sonore. Benjamin, toujours prudent en ce qui concerne les phénomènes de groupe, s'est réfugié dans un coin, pull tiré des deux mains sur la partie dont il est question.

Bernadette court à ses filles, s'en plante une sur chaque genou et leur annonce la bonne nouvelle : elles n'ont rien pour l'instant mais patience, attendez un peu mes chéries, c'est vous qui bientôt, enfin rien ne presse, aurez les bébés dans votre ventre. Oui! Là...

C'est maintenant au bon gros Gabriel de se lamenter parce que ça lui plairait bien aussi d'avoir le bébé en son sein. Sophie, la droitière, dite Zygote, a mis une poupée sous son t-shirt, et tourne autour de son cousin pour lui faire voir toutes les joies qu'il manquera dans la vie. C'est chouette, l'éducation sexuelle sur le tas! Nous, quatre filles dépourvues de frère avec un père qui s'enfermait à clef pour retirer sa cravate et aucun cousin à proximité, nous n'avons pas été gâtées.

Mais, finalement, personne n'est jamais satisfait de son sort. Les filles voudraient avoir ce qu'ont les garçons parce qu'ils en profitent pour prendre le commandement, tous les postes importants et les salaires élevés. Les garçons, cette chose finit par les angoisser à cause des devoirs qu'elle leur crée et qu'ils ne sont pas toujours en mesure d'assumer. L'idéal, c'est l'escargot qui est à la fois femelle, mâle et logé.

Cela me rappelle qu'il pourrait bien y en avoir quelques spécimens dans le jardin : il a plu cette nuit! Je propose aux combattants une battue générale. On met les bottes, on prend les seaux, et on y va!

CHAPITRE X

UN CHAT NOMMÉ MISSILE

QUATRE murs en carré, au second étage d'un cube de béton gris pareil à dix autres, plantés le long d'avenues bien droites, bien mortes. Aux quatre coins du carré, par ordre : un matelas, un lavabo, une table avec réchaud, un radiateur. Entre tout cela, les Puces! Une profusion d'objets tous genres, toutes familles : vêtements, bibelots, livres, tonnes de livres.

Assises sur le matelas, Mélodie et moi. En tailleur sur la moquette, entre lavabo et réchaud, le locataire de l'endroit : Tanguy, ainsi que deux autres acteurs de la troupe : Manuel et Maryse, comptant la recette.

Il est presque six heures. Mélodie me raconte sa grève de la faim. Réussite totale! Chez ses parents, tout tourne autour de la meilleure façon de se remplir la panse : ils ne vivent pratiquement que pour manger. Attablée avec eux mais la bouche cadenassée, Mélodie leur a gâché le plaisir. Ils ont tenu l'espace du déjeuner, et lui ont rendu sa liberté avant qu'elle ait eu à entamer sa provision de chocolat. En échange, elle a promis de fournir un effort pour offrir sa précieuse amitié à autre que ma personne.

Je lui ai offert sa place de théâtre. On n'est pas d'accord sur *l'Autre*. Pour elle, c'est l'homme idéal, le prince charmant auquel elle rêve la nuit; et quand il se présentera, comptez sur elle pour ne pas le laisser échapper. D'après moi, *l'Autre* serait plutôt Dieu, mais pas celui des messes le dimanche : celui qu'on sent en soi, qui vous tire vers le haut malgré vous; et sur la suite des événements, je préfère ne pas me prononcer pour l'instant. L'intéressant serait d'avoir la version de l'auteur.

Il vient de terminer ses comptes; d'après sa mine et celle des amis, ce n'est pas abondance.

« On va être obligés d'arrêter », dit Maryse.

Elle doit avoir notre âge; un peu moins que Tanguy. Dans la pièce, pour lui faire croire qu'elle était cette *Autre* qu'il attendait, il fallait la voir exécuter des doubles sauts périlleux, jongler, retomber en grand écart, le genre d'exercices qui demandent un entraînement terrible; et vous offrez le résultat à dix gus pris de crampes dès qu'il s'agit de quitter leur fauteuil, et qui bâillent en vous regardant. Triste!

« Pas question d'arrêter, déclare Tanguy. On reprend samedi soir comme prévu.

– Et pour la location de la salle? interroge Manuel.

– Je me débrouillerai. »

Tanguy allume une cigarette – une de plus – et, adossé au mur, il fixe le plafond comme s'il voulait le traverser. Mais, au-dessus de son plafond, il y en a un autre pareil, puis un autre encore, comptez jusqu'à dix-huit.

Missile, un chat noir, maigre et à demi-chauve, observe son monde du radiateur. De temps en temps, il fait un tour prudent du côté de la gamelle, près du réchaud et constate d'un coup de langue qu'elle est toujours vide. Mine de rien, Mélodie a commencé à trier le bric-à-brac entassé le long des murs : elle range par catégories. Je me lève. Qu'est-ce que je suis venue faire là? Où sont mes grands émois d'hier? Mes « avant » et mes « après »? Je me croyais encore au théâtre, tout simplement! Je me jouais ma petite comédie. Aujourd'hui, le rideau est tombé pour de bon : il n'y a plus qu'une chambre sinistre, avec un garçon juste un peu plus beau que les autres, qui agit comme si vous n'existiez pas alors que c'est une année à champignons comme on n'en reverra peut-être jamais; des bolets bais que vous pourriez être en train de ramasser avec des gens sympathiques à qui il arrive de profiter de la vie, ce qui ne semble guère être le cas ici.

Je sors sur le balcon pour voir si j'aperçois un coin de forêt. La nuit commence à brouiller le paysage. Les lumières des avenues sont déjà allumées. Ces tours, cubes, parkings, allées bien tirées, on dirait un décor. Pas un toit, pas une herbe, quelques arbres qui n'ont pas l'air vrai. C'est la première fois que je mets le pied dans cette « ville nouvelle » qu'on aperçoit de *La Marette*, entre les branches des noyers. Me voilà passée de l'autre côté, et j'ai peur.

En bas, un homme lave sa voiture. Sa femme tricote à l'intérieur. Ils ont un chien, Bagarreur, qui voudrait bien faire honneur à son nom mais se voit à chaque fois menacer : « Si tu veux qu'on t'attache, continue. »

« Ça va, petite? »

Tanguy est près de moi.

« Pas tellement. »

Ma réponse a l'air de l'étonner. L'usage est de dire automatiquement : « Très bien merci et vous? » Même si on a l'intention de se faire disparaître la minute d'après; d'ailleurs, quelqu'un l'a fait l'hiver dernier. Il a déjeuné avec des copains, bien ri, bien bu, bien plaisanté, a applaudi à tous les projets; ensuite, il est sorti et il s'est tiré une balle dans la tête.

« Pas tellement? Explique-moi ça. »

Je me tourne vers lui. Il a retrouvé son regard d'hier, qui vous fouille.

« Je me sens mal à l'aise ici.

— Le cadre est trop moche pour mademoiselle?

— Je n'aime pas les villes, surtout les neuves. Elles me font peur.

— Pourquoi?

— Je pense que j'aurais pu y naître. J'ai peur d'y vivre un jour. »

Je lui montre le paysage de pierre : « C'est la solitude. »

Il rit : « Pas besoin de venir ici pour la trouver, la solitude. »

En bas, l'homme jette le contenu de son seau d'eau contre les pneus. L'eau mousseuse coule partout, cherche des fissures où s'enfoncer. Je demande — et mon cœur se serre un peu :

« *L'Autre*, dans ta pièce, qui est-ce?

— Personne! Il n'existe pas.

— Mais tu attends bien quelqu'un?

— Un rêve. Une illusion.

— Et si c'était pas une illusion, ce serait qui? Qu'est-ce qu'il ferait pour toi?

— Tu le lui demanderas de ma part », dit-il.

Son ton est glacé. Comme son regard. Il se détourne de moi et fixe, en bas, le type qui astique ses chromes avec une peau de chamois. Sa femme vient de sortir de la voiture : elle mesure son ouvrage au dos de son mari : un bon gros pull pour l'hiver. Ils ont l'air satisfait de leur dimanche.

« Pour eux, ça va, dis-je, " ils n'attendent personne! ".

– Ça va? »

Il rit : d'un rire laid, qui déforme son visage. Et à la fois j'ai envie de partir et l'impression de ne pas en avoir fini avec lui; comme hier.

« Ils sont deux, dis-je, et ça leur suffit. Ils se réchauffent à leur façon; ils s'aident à vivre. Voilà!

– Parce que tu appelles ça " vivre ", toi? »

Son regard méprisant me parcourt. Ça y est! Il m'a jugée : la stupide petite bourgeoise! Il aurait pu le découvrir tout de suite, ça m'aurait évité le déplacement. D'autant que lui, c'est exactement le genre de type que je ne supporte pas plus de trois secondes, la ramenant avec ses états d'âme, se croyant différent de tout le monde, ce qui ne l'empêche pas d'essayer de ramasser des sous, et de jouer les jeunes premiers.

Dans sa chambre minable, derrière nous, quelqu'un a mis de la musique. Mélodie rit de je ne sais quoi. Missile, ses trois poils hérissés, passe la tête par une fente du balcon pour défier Bagarreur.

Je constate : « Je crois qu'on n'a plus grand-chose à se dire. Je rentre. »

C'est alors que ça se produit : la botte de Tanguy avance, les griffes de Missile raclent le béton, une boule noire voltige. En bas, c'est la sarabande : un chien poursuit un chat. Mon cœur bat comme un fou. Deux étages! Il a voulu le tuer! Tanguy est rentré dans la chambre. J'y reviens à mon tour. Il m'ignore. J'attrape mon anorak; je descends quatre à quatre les marches. Penchée sur la rampe, Mélodie proteste : « Qu'est-ce qu'il t'arrive? » Elle s'amusait bien, elle! Dans les affaires de Tanguy, elle a découvert des trésors... une montre à musique... des boucles d'oreille.

Je ne peux pas lui répondre. J'ai dans la gorge, un long miaulement de terreur; dans les oreilles, le crissement de griffes sur le bord du balcon. Je crois qu'elle me crie de l'attendre. Je suis déjà sur mon deux-roues. Je suis poursuivie, Mélodie! Par quelque chose que j'ai touché, qui me colle à la peau, me salit; je ne sais pas si c'est le mal ou le malheur.

Une voiture me dépasse dont le conducteur m'injurie : il paraît que j'ai brûlé un feu rouge et que je terminerai ma courte carrière dans le fossé. Tant pis! Tant mieux! Donnez-moi du vent, de longs souffles sur mon visage pour le laver. Donnez-moi un village avec des toits rafistolés, des rues biscornues que les camions font trembler, des jardins secrets bordés de ronces et de bonnets d'évêque, ces fleurs rouges que l'on offre à sa mère en préservant les deux graines orangées que chacune renferme. Donnez-moi une église avec ou sans marelle, la grille d'une vraie maison, un gros tas de feuilles mortes que le feu consume par le cœur, une colline de bolets bais sur la table de la cuisine.

« Je ne sais pas ce qu'ils ont cette année, remarque maman, ils sont farcis d'aiguilles de pin. »

Rendez-moi le sourire complice de ma vie.

CHAPITRE XI

UN LAC COMME UN REGARD

Poison... *Imagine un lac, un regard limpide et, par endroits, ombré, mouvant. Imagine tout autour de ce lac une bande de verdure semée de chalets et d'hôtels; et, au-dessus, la couronne de sapins noirs, serrés, dont certains sont si hauts que lorsque tu renverses la tête pour en chercher la cime, tu bascules dans le ciel.*

Imagine, au bord de ce lac, un hôtel qui s'est mis en congé. Les couvertures sont pliées sur les lits, les chaises à l'envers sur les tables de la salle à manger. Il n'y a que trois clients : Béa, son ami Martin et moi. Pas clients, d'ailleurs : invités. Le patron, cuistot de son état, est l'oncle de Martin, d'où la présence de Béatrice ici, et la mienne par ricochet.

J'ai bien fait de partir! Paris est fait pour les gens heureux. Paris est lourd de foule, de bruits, de beauté, de passé, d'occasions saisies ou perdues, chaque seconde, et, en cas de souffrance, tout cela t'écrase. Les grandes villes ne peuvent pas consoler; je suis sûre que tu comprends. Quand les animaux sont blessés, ils vont se lécher dans les coins; et s'ils sont à la campagne, ils cherchent dans la nature ce qui peut les aider à guérir, plantes ou herbes, parfois tout simplement la terre. Moi, je me sers des sapins, d'un toit de ferme allongé jusqu'au sol, en attente de neige, de l'odeur des grandes roues de fromage, fabriquées à la fruiterie voisine, de celle des troncs nus gisant dans leur écorce. Je me sers du vieux faiseur de cloches, les grosses, qu'on suspend par un large collier de cuir au cou des vaches. Il me conte la vie ici : l'année où tout a gelé, l'année où l'ouragan a creusé son passage dans la forêt comme un pas de géant, l'année du loup, l'année de la carpe, si vieille que personne ne s'est décidé à la manger, par respect. Mes baumes, mes pansements, les voilà !

Inutile de te raconter l'accueil de Béa. Tu imagines ! Pas tellement étonnée pour Paul, plutôt surprise de ma réaction. « Tu pensais donc le garder pour toi toute seule, ton écrivain, et durant toute la vie ? Mais tu retardes, ma vieille ! La fidélité, ça n'est plus sur ce plan-là qu'il faut la chercher. Un couple, ça se construit avec d'autres matériaux que ceux du corps. Et s'il te trompait en cachette ? Ça te plairait davantage ? » Ce genre de consolations, tu vois...

Mais Béa ne sait pas ! Elle n'a jamais vécu entre un père et une mère ; c'était tantôt l'un, tantôt l'autre, jamais les deux à la fois. Elle ne peut savoir...

Ce qu'étaient les soirées à **La Marette**, près du feu, près de maman : cette chaleur acquise, naturelle, pain quotidien dont nous ne soupçonnions pas l'importance... ce qu'était simplement « rentrer ». Je n'ai jamais eu l'impression, à Paris, de « rentrer à la maison », et c'est quand je pense à **La Marette** que je pleure, sur une jeune fille moitié sage, moitié folle et qui ne connaissait que le bon de la vie, et merde, tu vois, je ne me suis qu'à moitié envolée !

Poison ! J'ai une décision à prendre, et je suis dans le brouillard. Choisir à nouveau Paul, tel qu'il est et non tel que je le rêvais – c'est une phrase de lui – c'est-à-dire accepter d'autres femmes dans sa vie, mais comment veux-tu ? Le salaud ! Ou le quitter ! Avoir mal une bonne fois puis guérir : on guérit, je l'ai appris.

Ou encore, attendre à ses côtés, sans accepter, de souffrir moins. Mais cela me paraît le plus horrible; parce que souffrir moins ce sera ne plus l'aimer avec passion, et ça ne m'intéresse pas. Et si c'est être adulte que d'accepter que la passion ne dure pas, non merci!

Je te vois... Je t'entends d'ici : « Et Benjamin? » Tu crois que je l'ai oublié. Je ne l'oublie pas, mais Paul prend toute la place. Comment expliquer? Il est la priorité absolue, la pensée dévorante, comme un rideau déployé qui me cache le reste. Et puis écoute-moi, tant pis si je te choque, mais les grandes phrases, les « chair de ma chair », les « mon sang, ma vie », je n'y ai jamais cru. J'ai porté cet enfant, je lui ai donné naissance, je le soigne, l'aime et le nourris. Mais je n'ai jamais ressenti pour autant, ni dans ma tête, ni dans mon ventre, cet élan sauvage autour duquel certaines construisent leur vie et qui devrait, dans ma décision, faire passer avant tout ce fruit de Paul et de moi. Je ne me sens pas mère. Voilà! Me suis-je mariée trop enfant? Est-ce parce que Paul ne souhaitait pas vraiment être père?

« Alors pourquoi l'avoir fait? » m'as-tu demandé l'autre soir. Comme ça. Je n'ai pas vraiment réfléchi. J'ai suivi l'exemple. On s'aime, se marie, a des enfants. J'en voulais quatre, comme chez nous, tu te rappelles? Je me voyais, écrivant des livres, comme maman faisait ses tartes, et Paul rentrant le soir, comme papa après son travail. Paul ne supporte ni horaires ni contraintes. Je ne vivrai jamais comme maman, en restant à la maison. J'ai faim de visages nouveaux. Et Benjamin n'est pas un enfant heureux!

Poison, Béa m'appelle. Je ne t'ai pas tout dit. J'ai oublié le plus important, peut-être! Au milieu du lac, imagine une barque et, dans cette barque, un enfant armé d'un fusil de chasse qui menace de se tuer si on vient le chercher. On n'en sait pas plus pour l'instant.

Hier, la barque était déjà là mais personne ne s'est étonné. Un pêcheur... Seulement, ce matin elle se trouvait à la même place, avec, comme une sorte de tente dessus; et là, les gens ont commencé à s'interroger. On craignait un accident. Un suicide, peut-être. Il y en a eu un cet été : un chômeur.

Le patron de l'hôtel a sorti son canot à moteur, et il est allé faire un tour. Il y avait bien une tente sur la barque et dessous l'enfant, pas plus de douze ans d'après lui. Mais quand il s'est approché, l'enfant a mis le canon du fusil dans sa bouche. C'était il y a deux heures. Le canon du fusil dans sa bouche...

La gendarmerie vient d'arriver avec tout le grand jeu : embarcation pneumatique, matériel médical, jumelles et porte-voix. Béa est très excitée; elle a appelé son journal. Si l'affaire prend corps, ils ne sont pas contre un reportage. Elle m'a proposé d'écrire l'article. Elle, elle a déjà son matériel au cou.

Pour l'instant, le capitaine de la gendarmerie n'a pas l'intention de passer à l'action. Il va tenter de savoir qui est l'enfant, et ce qu'il veut.

Embrasse Benjamin pour moi, les autres aussi, spécialement fort et sans leur dire que c'est de ma part. Et toi, ne change surtout pas : continue d'empoisonner, pour nous obliger à rester éveillés.

Mon cœur est dans cette barque, au milieu de ce lac. Il a dû avoir froid cette nuit, cet enfant inconnu, et peur. Et tout le monde dormait sans se douter? J'ai les larmes aux yeux. Mais pour moi, il ne s'appelle pas Benjamin comme tu pourrais l'espérer; il s'appelle « Pauline », et il est perdu.

Pauline

CHAPITRE XII

DES RACINES POUR BENJAMIN

JE suis allée trouver Grosso-modo, et je lui ai dit que je voulais planter un arbre pour Benjamin. Un arbre qui lui appartiendrait, dont il s'occuperait, qu'il verrait grandir. C'était important, et nous n'avions pas de temps à perdre. Il fallait qu'il me trouve, tout de suite, celui qui conviendrait. Je paierais.

Grosso-modo était en pleine coupe de propreté du côté de son abri anti-atomique. Le super-modèle de luxe, béton armé, grand format. Il le visite régulièrement. Vous n'en devinez l'entrée que si vous savez; il a fait pousser dessus un cotonéaster qui s'y plaît beaucoup, et donne de belles grappes de fruits rouges.

Il a posé son râteau sur sa brouette pleine d'odeurs d'automne et il a réfléchi un moment, tourné vers la grille de notre maison, comme s'il regardait l'avenir.

« Un arbre, ça ne se plante pas au hasard, Cécile, c'est quelqu'un! Qui va se plaire ou se déplaire, être heureux ou non. On ne plante pas n'importe lequel, et n'importe comment. »

Je le savais bien! C'était la raison de ma présence

chez lui : il connaît mieux le sol de *La Marette* que son propriétaire.

« Tu en as parlé à ton père?

– Pas encore. C'est quand même vous, le spécialiste! »

Il n'a pas relevé, mais j'ai vu que ça lui faisait plaisir; Grosso-modo est un homme qui sait encore rougir. Moi aussi, j'aimerais être, un jour, spécialiste de quelque chose.

« De toute façon, a-t-il dit, il me semble que, grosso-modo, c'est une bonne idée. Viens voir par là! »

Je l'ai suivi au fond de son jardin, du côté de la haie de thuyas. Là, il avait donné un carré de terre à Benjamin pour qu'il le plante à son idée. Il avait mis des graines à sa disposition, quelques instruments et un arrosoir à sa mesure parce que les petits ont la passion de l'eau, sans doute parce qu'ils y vivaient tranquilles avant leur naissance.

Benjamin était au travail, de la boue jusqu'aux yeux. Mais il n'avait rien planté du tout; il construisait une ville. Les monticules plus ou moins hauts, très rapprochés, c'étaient les maisons. Il y avait des avenues, un parking où il avait garé ses petites autos, des tiges qui étaient, paraît-il, des arrêts d'autobus, une brique-supermarché et même un cinéma. Il était en train de construire la prison; c'était plus facile, nous a-t-il expliqué, parce qu'il n'y avait pas de fenêtres.

L'ensemble était très réussi pour son âge. L'imagination ne lui avait pas manqué. Il s'est arrêté un moment de travailler, et a désigné un bout de terre qu'on ne lui avait pas donné.

« Est-ce que je pourrai faire l'autoroute ici, Pappy? » a-t-il demandé à Grosso-modo.

« Pappy » est devenu comme son veitchli, en automne : grenat.

« On ne savait pas au juste comment m'appeler!
a-t-il dit, et puisque votre papa, il l'appelle
" Daddy "...

– Ça lui fera deux grands-pères, ai-je remarqué.
On n'en a jamais trop. »

Il lui a donné une place pour son autoroute, et
Benjamin s'est remis à bâtir. Nous avons fait quelques pas dans le jardin. Je voyais cette ville et
j'avais envie de pleurer : depuis Tanguy, les larmes
ne sont jamais loin.

« Tu vois, a dit Tavernier, les arbres, on dirait
bien qu'il les a oubliés dans sa ville. Je vais réfléchir
ce soir à ton affaire, et demain j'irai te chercher ça.
Je suppose que, grosso-modo, tu le veux déjà un peu
poussé pour que le petit ne perde pas patience,
mais pas trop quand même pour qu'il puisse cons-
tater les progrès, c'est ça? »

Il avait mis le doigt dessus. Mais maintenant, j'en
savais déjà plus : surtout pas un conifère : ça fait
cimetière : si possible un arbre à fruits. Benjamin le
verrait fleurir, il goûterait au produit, ce serait
« ses » fruits. Quand les branches se dépouille-
raient, je lui expliquerais que cela n'avait pas d'importance, que la vie attendait, au cœur de l'arbre,
d'exploser à nouveau et qu'il suffisait d'un peu de
patience. Peut-être un pêcher?

« C'est d'accord, a dit Grosso-modo. Et je t'aiderai
à le planter. Ce n'est pas la place qui manque pour
ça, à La Marette. Mais je serais toi, j'en dirais quand
même un mot à ton père, pour la gentillesse. »

Il n'a pas voulu que je paie d'avance; il croyait
pouvoir me faire confiance.

Benjamin nous avait rejoints; il a mis dans la
mienne sa main pleine de terre mouillée. Grosso-
modo a promis d'étendre un plastique sur la ville
en construction; tout le monde s'est embrassé, et j'ai
ramené mon architecte à la maison.

J'avais laissé la lettre de Pauline sur mon lit. C'était après l'avoir lue que j'avais tellement ressenti ce besoin de racines pour lui. Il l'a repérée aussitôt : il l'a prise et il a demandé : « Où est ma maman? » Bien qu'il ne soit pas encore en âge de lire, je la lui ai retirée; puis je l'ai cachée dans un tiroir parce que sa maman y disait qu'elle ne le sentait pas comme son fils, et que je préférais qu'il ne touche pas à cette honte! « Si c'est être adulte que d'accepter que la passion ne dure pas, non merci! »... Moi, ça faisait longtemps que j'avais accepté cette évidence. Inutile de rêver. C'est vrai que je n'ai pas encore eu l'occasion d'y goûter à la passion. Pas pressée.

J'ai pris un bain avec mon homme en herbe. Comme je le séchais, avec mouillette pour le nombril, il m'a demandé à nouveau :

« Où est ma maman?

– Elle est allée voir un lac! Tu sais ce que c'est, un lac? Tu veux que je t'en dessine un? »

Je l'ai dessiné sur mon tableau noir, en forme d'œil : « Comme un regard », avait dit Pauline. Mais pour y mettre la lumière, il aurait fallu le don! Autour, j'ai placé les chalets et planté les sapins, droits et ordonnés comme des soldats. Tout en dessinant, je lui expliquais. Il me regardait avec son regard sérieux et brûlant. Quand j'ai eu fini, il a planté son doigt au milieu de mon lac, et il a dit :

« Et là, il y a un bateau, et un garçon dessus, tout seul. On l'a vu chez Pappy, à la télévision! »

CHAPITRE XIII

L'ENFANT À LA BARQUE

Il s'appelle « lac de Saint-Point ». Tout y est de ce que Pauline m'a décrit. La seule différence, c'est le chapeau blanc sur les sapins : de la neige tombée cette nuit.

On aperçoit la barque, au loin. Sur la berge, des personnes discutent. Il y a plusieurs voitures de police et celle de la télévision. Je cherche parmi les gens : et si, tout à coup, on voyait Béa et ma sœur? Réaction de papa!

Il a un œil sur l'écran, et l'autre sur sa revue médicale. Nuit profonde ici, plein jour là-bas. Il était midi lorsque le reportage a été effectué.

« Voilà maintenant quarante-huit heures que cet enfant est sur cette barque, au milieu de ce lac, commente le journaliste. Alors qu'hier soir on tentait de l'approcher durant son sommeil, il a tiré en l'air pour montrer que son arme était bien chargée. De crainte d'un accident, les gendarmes ont renoncé. Ses parents ont été trouvés; ils lui ont lancé un appel.

« Pauvre gosse! » soupire papa.

La télévision montre maintenant les parents, assis dans leur cuisine, fixant le bois de leur table sur laquelle sont posés des verres et une bouteille. Ils ont l'air plutôt jeunes. Lui, Etienne, a toujours vécu à la ferme : fils unique, orphelin. Elle, Marie, vient de la ville. Leur fils s'appelle Fabrice et il a douze ans. L'an passé, il a déjà fait une fugue. On l'a retrouvé au pied d'un arbre, dans la forêt. Les gendarmes l'ont ramené chez lui.

« A votre avis, pourquoi se sauve-t-il? » interroge le journaliste.

Les deux parents relèvent la tête et fixent leur interlocuteur comme s'ils ne comprenaient pas, puis ils se regardent l'un l'autre. Papa a baissé son journal pour les observer.

« On comprend pas, dit l'homme d'une voix lente. Il avait ce qu'il fallait ici. Sans doute qu'il y a des gamins qui ont ça dans la peau. »

Il a l'air d'avoir honte. « C'est bien malheureux, tout ce fourbi », gémit sa femme. On voit qu'ils sont impressionnés par la télévision. Ils lui jettent des coups d'œil comme à une bête malfaisante qui risquerait de les mordre. « Il ne s'est rien passé de spécial ce soir-là? » insiste le journaliste. L'homme secoue la tête. Exit Etienne et Marie : on passe aux gens du village voisin.

Personne ne sait rien. La ferme est isolée, et ses habitants plutôt sauvages. « Si vous croyez qu'ici on a le temps de s'occuper de ce qui se passe à côté! » Fabrice, ils le voyaient de temps en temps. C'est lui qui venait aux commissions. Enfin, rien de spécial à signaler.

« Evidemment, murmure papa.

– Tu crois que c'est un enfant martyr? »

Il met un moment à répondre :

« Je crois que ses parents, tels que nous venons de les voir, avaient tous les deux bu un coup de trop, remarque-t-il. Mais avant d'en conclure qu'ils maltraitaient leur fils...

– Les gens sont des salauds!

– Pourquoi dis-tu ça?

– Personne veut se mouiller : ça crève les yeux.

– Tu ne peux pas juger sur trois images montrées à la télévision. »

J'ai envie de lui dire que Pauline est là-bas : aux premières loges. C'est urgent, je le sens. Il faut qu'elle s'occupe de Fabrice! Pourvu qu'elle s'en occupe. Je dois absolument lui parler. Si je demandais à mon père de m'aider à trouver son adresse? Ils ont parlé du « Doubs ». Ils ont dit « Pontarlier ». Mais Pauline m'a fait confiance et, sur l'écran, ils sont déjà passés à autre chose. Exit les sentiments! On aligne des chiffres. Vont-ils piéger Fabrice cette nuit et le ramener à la niche comme la dernière fois?

J'éteins le poste.

« Papa! »

Le journal se baisse à nouveau.

« J'ai décidé de planter un pêcher dans le jardin. Pour Benjamin! »

Il ouvre de grands yeux.

« Tu as décidé?

– Benjamin est tout seul. Je ne sais pas comment t'expliquer... ses parents se sont barrés... il ne joue pas tellement avec les autres. Un arbre à lui, ça le plantera. Grosso-modo est d'accord pour le choisir, mais il faudra qu'on voit ensemble pour l'endroit.

– Ecoute, proteste mon père. Avec toi, tout est toujours urgent. Il me semble que tu aurais pu m'en parler avant de t'adresser à Tavernier.

– Je paierai.

– Là n'est pas la question! Et on ne va pas le planter cette nuit, ton arbre. Alors, pour l'instant, s'il te plaît, laisse-moi lire. »

Il disparaît derrière sa revue. Benjamin est tout seul, je le sais. Et je sais aussi que ça pourrait tourner mal. Mais ce n'est pas une maladie! Ça ne donne ni fièvre, ni boutons. On n'en parle pas dans sa sacrée revue de malheur.

Je passe à la cuisine où maman fait dîner l'intéressé : chaleur, odeurs. Benjamin, en robe de chambre, déguste un œuf à la coque; autour du coquetier, il a fait une couronne de mouillettes beurrées. Je lui en vole une, la trempe, l'avale. Jamais trop tôt pour apprendre à partager, mon ami!

« Qu'est-ce qu'on a pour dîner, nous?

– Du poisson.

– De lac? »

Au mot « lac », Benjamin a levé les yeux : je lui dessine un beau sapin dans la buée du carreau.

« Une dorade, dit maman. Cesse de gribouiller sur les carreaux, veux-tu? Ça laisse des traces.

– Une dorade avec quoi?

– Des tomates et du riz. Tu as si faim que ça, ma chérie?

– Pas tellement. C'était juste pour savoir! Je voudrais aussi que tu me dises où se trouve le Doubs.

– Le Doubs est dans le Jura, dit maman après un moment d'étonnement. Pourquoi?

– T'occupe... »

Je la laisse. Parfois, j'ai envie de la punir, et je ne sais même pas de quoi. De l'aimer tant?

Dehors, c'est du brouillard glacé : l'hiver. Les oignons l'avaient prévu : quadruple pelure. Ça sent Germain dans le garage. « Mort de sa belle mort », paraît-il. Qu'est-ce que ça veut dire? La mort n'est belle que si on offre sa vie à quelqu'un gratuitement avant d'être complètement décrépit. J'embarque tout le paquet de cartes routières. Je ferai le tri au chaud. Ma mort de congestion pulmonaire ne sera belle pour personne. Je prends aussi le guide des hôtels pendant que j'y suis. Si je savais conduire, je serais déjà en route. Je serais près de ce lac et

Fabrice verrait ce qu'il verrait! C'est cette neige sur les sapins qui me tourmente.

Je monte les marches du perron quand on carillonne à la grille. Trois voix répondent à ma question. Présents, Cadillac, second mari de la boulangère, Ferré, le boucher, et Charpier, pharmacien de son état. Ils désirent être reçus par mon père.

Je tire le verrou.

« Il y a eu un accident?

– C'est pas exactement ça, mais ça s'y rapporte », répond mystérieusement Charpier.

Il a l'air à la fois sombre et excité des porteurs de mauvaises nouvelles. Je guide ma petite troupe vers la maison. Cadillac louche vers mes cartes routières.

« Alors, on s'apprête à partir en voyage, mademoiselle?

– C'est pas exactement ça, mais ça s'y rapporte », dis-je.

Charles Moreau vient d'apparaître sur le perron, tenant haut la lampe-tempête. Quand il me voit avec nos trois voisins, ses sourcils se froncent et ses yeux m'interrogent : qu'a bien pu encore inventer la Poison?

Au risque de vous décevoir, docteur, cette fois, si vous devez renoncer à votre chère lecture, je n'y suis pour rien!

CHAPITRE XIV

UN MOT EN CINQ LETTRES, COMME « AMOUR »

Je leur ai servi l'apéritif : bière pour notre fournis-
seur en gigots extras, un doigt de porto pour le
spécialiste d'éclairs géants, mi-chocolat, mi-café;
scotch sur glaçons pour le père de Pilule, un chien
hargneux, plutôt dur à avaler, et un doigt de vin
rouge pour le docteur à qui les mélanges occasion-
nent vertiges et brûlures d'estomac.

Dans la cuisine, l'odeur d'herbes, huile d'olive et
tomates, c'était cette bonne vieille dorade! J'ai
baissé la cuisson pour cause de visite impromptue.
Au second étage, M. Benjamin avait droit à sa
chanson du soir. Je me suis assise sur une marche
et j'ai écouté un moment mon enfance. Quand elle
m'est remontée en boule dans la gorge, j'ai arrêté
les frais. Je suis allée chercher une pile d'assiettes et
je suis revenue au salon par le côté salle à manger.
J'attendais qu'on me prie de sortir, mais non! Alors,
je me suis installée discrètement à la table et j'ai
déployé la carte de France. Côté canapé, ils parlaient du temps. Beaucoup de vent, de la casse
parmi les arbres, gel en janvier dernier, tornade
maintenant : cela aurait été leur année. Nous, nous
y avions laissé un noyer.

C'est Charpier qui a attaqué.

« Je suppose que vous avez appris ce qui s'était passé hier à Mareuil, docteur? Cette pauvre Mme Lamourette, cette malheureuse grand-mère...

– J'en ai entendu parler en effet, a dit mon père. A-t-on retrouvé son agresseur?

– On le retrouvera jamais, a dit Cadillac. Ça, c'est la seule chose certaine!

– Et elle? Vous avez des nouvelles?

– Pas fameuses! On n'est pas sûr qu'elle pourra remarcher. Et vivre... on se demande comment! Il lui a tout pris : nécessaire et économies. »

Il y a eu un silence. Ils fixaient tous le feu. Moi, j'avais déjà localisé le Jura, le Doubs. Prochaine étape : Pontarlier...

« Inutile de tergiverser avec vous, docteur, a repris Charpier. On a décidé de former une association de protection mutuelle. On est déjà une bonne vingtaine. Est-ce que vous accepteriez de vous joindre à nous?

– Protection mutuelle? a répété mon père.

– Parce qu'on ne peut plus continuer comme ça, est intervenu Ferré. C'est peut-être pas votre cas, Docteur, mais moi j'ai peur. Je ne me couche plus jamais tranquille! Aujourd'hui, que les maisons soient ou non habitées, ils entrent. Et ils garent la camionnette devant la porte pour s'éviter le trajet.

– Et en quoi consistera votre association? » a demandé papa de sa voix de médecin.

C'est Charpier qui a repris. A première vue, c'était lui le responsable.

« Ce sera une association préventive! Entendons-nous bien! Il ne s'agit pas d'attaquer, vous nous connaissez. Nous ne sommes pas des belliqueux. Il s'agit de faire savoir à ceux qui voudraient s'y frotter, que dorénavant, Mareuil et ses environs sont, en quelque sorte, intouchables et qu'ils ont intérêt à aller voir ailleurs! »

Mon père a allumé sa pipe. Il a jeté un coup d'œil de mon côté. Pour Pontarlier, ça y était! J'ai posé un verre dessus pour ne pas le perdre, et je suis partie à la recherche du lac de Saint-Point.

« Et comment leur ferez-vous savoir ça?

— Nous allons réunir le plus de monde possible. Nous équiper de systèmes d'alarme, du simple, pas coûteux, mais qui s'entend, former une sorte de chaîne si vous voyez! L'alarme se déclenche! On y va tous en force et sans attendre. On peut aussi se téléphoner en cas de bruit ou de mouvement suspect. Bref, on s'engage à intervenir à chaque fois que nécessaire. Tous à la disposition de chacun!

— Une sorte de chaîne de solidarité, a dit Ferré. Et il a savouré le mot.

— Et vous y allez... armés? » a demandé papa.

Ils n'ont pas tout de suite répondu. Il y a des façons de poser des questions qui sonnent comme des reproches. Cadillac et Ferré se sont tournés vers Charpier.

« Nous n'aurons pas à utiliser d'armes, a expliqué celui-ci d'une voix calme. Tout au plus pour tirer en l'air.

— Lorsqu'on a un fusil chargé dans les mains, n'est-on pas tenté de l'utiliser un jour? Et n'est-ce pas ainsi qu'on blesse, ou tue accidentellement un innocent? a interrogé papa.

— Pas dans notre cas, docteur, a protesté Charpier. C'est lorsqu'on est seul et sous l'effet de la peur, qu'il y a des bavures, pas quand on est vingt, au coude à coude. »

Il s'est penché vers mon père, et il a expliqué son cas. En deux ans, sa pharmacie avait été cambriolée six fois, et plusieurs par les mêmes. L'année derniè-re, des gitans lui étaient tombés dessus et l'avaient passé à tabac. Il avait failli y laisser un œil. A l'heure actuelle, ses agresseurs étaient libres et roulaient carrosse. Tous ceux qui s'étaient attaqués à lui étaient armés. Et lui n'aurait pas le droit de l'être?

Puis cela a été le tour de Cadillac. Il a sorti un papier de sa poche et il a lu la liste des agressions commises dans le coin depuis la rentrée : deux morts, deux viols, dix blessés, six maisons dévalisées. Inutile de parler des voitures ou deux-roues volés : on ne pouvait même plus faire le compte : le quotidien.

Ferré a expliqué que chacun d'eux avait beaucoup travaillé pour être là où il était, et posséder le peu qu'il possédait. Et qu'on ne les traite pas de « bourgeois », ni de « capitalistes »! Ils étaient des hommes qui demandaient à vivre en paix, voilà tout. Et ils ne voulaient plus attendre qu'on vienne les massacrer à demeure : parce que ça devenait du massacre!

« Et mettons que vous attrapiez un de ces malfaiteurs? a interrogé mon père. Que lui faites-vous?

— On lui donne une correction qui lui ôtera l'envie de recommencer, a dit Cadillac. Tout simplement! Même pas sûr qu'on le remette à la police. Ça coûte cher au contribuable et, de toute façon, tôt ou tard il est relâché.

— Presque tout le monde à Mareuil a signé, a repris Charpier. C'est... exemplaire. Voyez-vous, je souhaite que d'autres nous imitent. Dans le calme et la décision. La France se portera mieux, vous verrez.

— Alors, docteur? »

Papa a mis un moment à répondre. Je regardais ma carte : la détaillée, celle qu'on utilise quand on ne se contente pas de rouler sans regarder, pour avancer, lorsqu'on quitte les grands circuits pour entrer au cœur de son pays et, parfois, se mettre à table à côté de gens qui, finalement, nous ressemblent, qu'on aurait pu ne jamais connaître et avec qui on a du plaisir à être et à parler.

De chaque côté du lac de Saint-Point, deux villages se faisaient face. L'un portait le même nom que le lac, l'autre s'appelait Malbuisson. J'avais aussi la liste des hôtels : *Clair Rivage, Bon Accueil, Beau Séjour, Les Terrasses*... des noms de paix et de soleil mais qui sonnaient usés. J'ai levé les yeux et j'ai rencontré le regard de mon père : sa réponse, j'ai compris qu'il la ferait pour moi aussi.

« Je regrette, messieurs, a-t-il dit, mais c'est non! Je ne peux pas faire partie de votre association! »

Il y a eu un silence. On aurait pu toucher la déception. Le verre de Charpier a tinté sur la table.

« Peut-on connaître vos raisons?

– C'est contre mes idées, a simplement dit papa. C'est à la police et la justice de protéger les citoyens d'un pays. Si ces citoyens se chargent de le faire eux-mêmes, c'est l'anarchie et cela peut mener à tous les excès.

– Et si la police et la justice ne font plus leur boulot? a demandé Cadillac d'une voix pleine de rancune. Si ces citoyens ne sont plus protégés...

– Alors, ils gardent le pouvoir de le crier bien fort, a dit papa, d'exiger cette protection. Pour de telles démarches, je serai à vos côtés. »

Ferré s'est levé. Il est allé à la fenêtre. Il a écarté le rideau et regardé dehors. On le connaissait surtout en tablier blanc, avec le beau nœud du boucher et cela faisait drôle de le voir dans une veste à carreaux, casquette assortie qui, pour l'instant, était glissée sous la patte d'épaule. J'ai pensé que Charpier aussi, dans sa pharmacie, était vêtu de blanc, et Cadillac parfois, et mon père également : cela aurait pu faire une sorte de lien entre eux.

« Vous voyez, docteur Moreau, a dit Ferré en se retournant vers mon père, si c'était votre maman qu'on avait retrouvée la plante des pieds cramée au fer à repasser comme la petite grand-mère d'hier... ou si c'était votre fille que ces salauds avaient... »

Il s'est interrompu pour regarder de mon côté. Moi, j'étais dans mon guide où c'était l'été. On faisait de la planche à voile, du bateau sur le lac de Saint-Point. On y pêchait aussi. Dans les restaurants, on dégustait toutes sortes de spécialités : on arrosait ça de cassis et de gentiane en regardant, derrière les pins noirs, glisser le soleil rouge du soir.

« Peut-être bien qu'alors vous changeriez d'idée.

– Peut-être bien », a reconnu papa.

Charpier et Cadillac se sont levés à leur tour.

« Tant que des gens comme vous, nous refuseront leur appui, a remarqué Charpier tristement, on se sentira moins forts et le gâchis continuera. »

Maman est entrée à ce moment-là. Elle leur a serré la main à tour de rôle avec son sourire, et la violence n'a plus été possible.

Ferré avait remis sa casquette :

« De toute façon, nous sommes à votre disposition, docteur. A la moindre alerte, vous pouvez nous appeler et on sera là aussitôt. Tous!

– Je vous remercie », a dit papa.

Il les a raccompagnés. Et si c'était à ma mère qu'on avait brûlé la plante des pieds? Moi, je tire dans le tas, tout de suite et sans sommation pour ne pas rater.

Quand papa est revenu, il n'avait pas l'air tellement d'accord avec lui-même.

« Que voulaient-ils? a demandé maman. Ils avaient l'air bien sérieux.

– Ils sont en train de former une association

contre les agressions. Ils souhaitaient que j'en fasse partie. »

Ma mère a cessé de rassembler les verres pour regarder son mari qui vidait sa pipe sur le devant de la cheminée, ce qu'elle n'apprécie pas plus que lorsqu'on dessine sur les carreaux, la nicotine laissant des traces jaunes indélébiles. Il a tout repoussé dans la flamme avec le balai.

« Que leur as-tu dit?

– Que voulais-tu que je leur dise? Est-ce qu'on peut soigner d'une main et frapper de l'autre? »

Maman s'est assise sur le canapé, à côté de son mari. Elle a appuyé la tête contre son épaule.

« Tu n'as pas à t'en vouloir. Mais ne leur en veux pas à eux non plus. Ce sont de braves gens! On les pousse vraiment à bout. »

Papa l'a regardée, étonné du son de sa voix. Maman a ajouté plus bas :

« Ce qui est arrivé à Mme Lamourette cette nuit, c'est proprement révoltant!

– Tu l'as vue?

– J'ai fait un tour à l'hôpital en rentrant de mon travail, a dit maman. Elle n'a pas encore prononcé une parole. Elle a été littéralement... saccagée... On l'a presque étranglée en lui arrachant la montre qu'elle portait au cou.

– Alors, toi, a interrogé papa, tu aurais dit " oui "?

– Si hier j'avais été près de cette pauvre vieille femme, j'aurais été heureuse de pouvoir la défendre, a dit maman. Et si j'avais eu une arme, je m'en serais servie. Mais cela ne veut pas dire que je n'aurais pas répondu comme toi. Voilà pourquoi nous sommes tous si mal à l'aise! »

Papa s'est tu. Maman a remporté les verres. J'entendais sa voix, tout à l'heure, lorsqu'elle chantait à Benjamin ces chansons qu'on chante aux petits pour les rassurer : où il y a des bons et des méchants, et où les bons gagnent toujours.

J'ai revu le pied de Tanguy poussant Missile. Et l'enfant sur le lac, avec son fusil de chasse. J'ai entendu les cris étouffés de la vieille dame saccagée. Au-dessus de ma tête, c'était comme si le ciel se refermait. Le lac, sur la carte, avait la forme d'une larme, pas celle d'un regard. Certains étaient capables de brancher un fer à repasser pour brûler les pieds d'une vieille dame. Les cris ne s'entendent pas par tous de la même façon. Pour certains, la vie se lit en noir, en orage, en mort. Pourquoi ?

Une réponse s'est dessinée en moi : elle tenait en un mot, mais je n'avais pas envie de le prononcer. Selon que ce mot, on vous l'avait offert ou non, selon qu'on vous l'avait tendu comme un miroir avec le monde en arrière-plan, on se rangeait parmi ceux qui construisaient ou ceux qui détruisaient, ceux qui goûtaient la vie, ou ceux qui, n'y parvenant pas, y inscrivaient partout la mort. Un mot très simple...

J'ai senti, prenant mes épaules, les deux mains du docteur Moreau. Je ne pouvais pas les voir mais elles n'étaient pas difficile à reconnaître : la poigne d'un père qui parfois vous fait mal pour essayer de vous faire du bien.

« Jusqu'ici, a-t-il dit, on essuyait ses larmes avec des mouchoirs, pas avec une serviette de table ! Et si ma fille a des soucis et qu'elle ne me les fasse pas partager, je me demande bien à quoi je sers sur cette terre ! Pendant que j'y suis, pour le pêcher, ça me paraît une plutôt bonne idée... grosso-modo ! »

... Un mot en cinq lettres : l'amour, dont j'avais eu à profusion et qui me retirait le droit de juger les autres.

CHAPITRE XV

UN BEAU PRÉNOM POUR UNE VIE DE CHIEN

L'hôtel Beau-Séjour ne répond pas! Pauline Démogée n'est jamais descendue à Clair-Rivage. Au Bon-Accueil, c'est un peintre qui décroche le téléphone.

« On refait tout à neuf, m'explique-t-il, et on aurait rudement besoin de distraction! La demoiselle ne pourrait-elle pas venir avec sa jolie voix toute fraîche? » Il paraît que j'aurai le choix entre trente chambres, cinquante lits et la panoplie des corps de métier : l'ensemble gratuit, les patrons ne sont pas là.

Pour mon information, celui qui se tord au bout du fil, c'est Dédé, l'électricien. Il tient l'écouteur et veut me dire plein de choses lui aussi. Je remercie pour le tout et je raccroche. Il paraît que les féministes n'aiment pas les hommes qui leur parlent de cette façon, moi, j'adore! De loin, bien sûr.

J'en ai fini avec le village de Saint-Point. Avant d'entamer Malbuisson, je fais un tour du côté de Mélodie, en faction dans le couloir. Elle tremble de peur et de faim.

« T'as trouvé?
– Pas encore. J'avance.
– Grouille! »

En cas d'alerte, elle sifflera un petit air. Mais c'est l'heure du déjeuner et, en principe, on a le temps de voir venir. Les cours ne reprennent qu'à deux heures.

Je regagne le bureau du professeur principal et décroche l'appareil. Je n'ignore pas que j'en prends à mon aise avec l'argent du contribuable mais « Point noir » ne se gêne pas pour appeler sa mère tous les jours à Nice, alors pourquoi n'appellerais-je pas ma sœur, pour une fois et un cas d'urgence, dans le Jura?

« L'hôtel Les Terrasses? Je voudrais parler à Pauline Démogée, s'il vous plaît.

— Ne quittez pas. Je vais voir si elle est rentrée. »

Je reste pétrifiée : j'ai réussi! Au fond, je n'y croyais pas. Eh bien, c'est aussi simple que ça! Ma sœur est à l'hôtel des Terrasses, Malbuisson, Doubs, Jura, tout confort, calme assuré, truite aux amandes, saucisse de Morteau...

« Allô?

— C'est moi!

— Toi? Mais comment tu m'as trouvée?

— Le flair, ma vieille! »

J'explique. La télévision, sa lettre, l'esprit de déduction. Elle rit. Elle a l'air contente de m'entendre mais m'interdit de dire à quiconque où elle se trouve. Promis? Pendant les secondes qui suivent, nous nous taisons. J'ai l'impression de ne plus la connaître, ma sœur du Jura : pour un peu, je me sentirais intimidée.

« Et Fabrice, le gosse, où il en est?

— A l'hôpital. Tu ne sais pas encore? Ils l'ont récupéré à l'aube : complètement gelé et mort de faim. Pas moyen de lui tirer un mot.

— Ils vont le rendre à ses parents?

– J'espère bien que non. Tu les a vus à la télévision?

– Merci oui! Où tu en es pour ton article?

– On a réussi à faire parler un voisin. Le gamin n'allait presque jamais à l'école, il paraît qu'il se tapait tout le travail de la ferme.

– Ils le battaient?

– On ne sait pas. Ils verront bien, à l'hôpital. On va essayer de chercher nous aussi, mais, pour l'instant, interdit d'approcher. Pas de journalistes. Ils ont mis un gendarme devant sa porte. Béa veut se déguiser en infirmière. »

Je demande une minute à Pauline, et vais voir du côté de ma siffleuse. Ça va! Mais en bas, le bruit d'assiettes indique que les agapes s'achèvent.

J'avertis ma sœur que je l'abandonnerai peut-être brusquement.

« Tu reviens quand? »

Elle ne répond pas tout de suite. Je peux la sentir se refermer.

« Je ne sais pas. Ici, tu comprends, j'arrive à moins penser à Paul. Et de toute façon, pas de souci à se faire pour lui. Il est à Saint-Tropez pour la semaine. Il ne s'ennuie pas.

– Ce n'est pas pour lui que je me fais du souci! »
Nouveau silence.

« Comment va Benjamin?, demande-t-elle enfin.

– Lui, c'est le contraire de Fabrice, il voudrait bien retrouver sa mère; il la réclame, même. »

C'est à ce moment qu'un trille désespéré retentit dans le couloir.

« On vient! Je te rappellerai. »

« Point noir » apparaît au moment où je rejoins Mélodie.

« Mais qu'est-ce que vous faites là?

– On vous attendait, mademoiselle! »
Nous voulions lui demander si le stage obligatoire

de fin d'année, nous pouvions le faire ensemble, Mélodie et moi.

« Mais enfin, protesta-t-elle. Quand apprendrez-vous à agir en adultes? C'est-à-dire seules! Croyez-vous que, dans la vie, vous serez toujours deux?

– Et comment, dis-je. Et même quatre! Et six! Le plus de monde possible, tous sont invités! »

Elle me regarde avec de grands yeux, comme si je sombrais dans la folie. Elle ne sait pas que c'est quand on a l'air fou qu'on est le plus sérieux. Mélodie n'en mène pas large. La sonnerie du téléphone tombe à point. Nous nous éclipsons.

Ma sœur est à l'hôtel Les Terrasses... Elle s'occupe de Fabrice. Voilà la plus belle chose que ses parents ont dû lui donner, au gosse : son prénom. Ils avaient dû le lire quelque part, ça leur avait plu et ça n'engage à rien d'appeler son gamin comme un prince : ça fait partie du rêve. Et puis le rêve prend corps, il crie, traîne dans vos pattes, vide votre porte-monnaie, et il y a chaque jour des enfants aux prénoms ravissants qui gémissent sous les coups.

Cours d'anglais. Cours de droit. Mélodie s'endort sur son livre; moi, itou. La faim. C'était explorer le Doubs, ou déjeuner. A chaque fois que nous avalons, nos ventres donnent la sérénade. Mélodie me glisse un papier : « Dans le Jura, qu'est-ce qu'on mange, raconte? »

N'étant pas sadique, j'accepte! Que dirait-elle pour commencer d'une truite suprême avec un petit coulis de beurre d'anchois? Comme plat principal, on pourrait se commander une poularde à la comtoise, flambée au cognac et, pour dessert, après le comté, des briclets tièdes avec des amandes.

Mélodie n'en peut plus. Fabrice est sauvé. Je me sens un appétit à engloutir le monde entier!

CHAPITRE XVI

LE VENT DU SOUVENIR

Je l'ai trouvé assis sur le petit muret, près de la grille de *La Marette*. Il portait un blouson de cuir, un foulard de soie noué autour du cou, des bottes. Pas celles d'attaque, à longs bouts ferrés : de bonnes grosses bottes fauves à franges de cow-boy.

Il a sauté de son perchoir, il m'a souri, et le grand souffle du premier soir est remonté en moi, comme venant de la terre, du profond de la terre et j'ai su que j'attendais de le revoir, Missile ou pas.

J'agrippais toujours mon guidon. Il a tendu les mains pour, doucement, retirer mon casque.

« C'est bien elle! a-t-il dit. Mais oui! C'est bien l'habitante de la maison rouge aux cent cheminées.

– Et toi, tu es venu pour la visite, c'est ça? »

Il a ri : je lui faisais une peur atroce quand je parlais avec cette voix! Mais j'avais bien deviné : il était venu nous étudier de plus près, mes cheminées et moi.

Nous avons rentré nos deux-roues dans le jardin, et commencé par l'extérieur où les oiseaux s'annonçaient déjà la nuit en se rassemblant autour des arbres; les verts devenaient bleus, et quelques lumières pointaient çà et là dans le paysage.

J'ai fait le guide : l'allée de la cabane, le vieux nid de guêpes, le chemin du rat – un énorme, qui avait mordu la « Princesse » au mollet. En passant, je présentais à Tanguy nos « anciens » : le chêne noueux, le vieux cèdre, les trois noyers; le quatrième, victime du gel, était encore par terre en attendant d'être débité dimanche, par mon père et Antoine. Sur les bras de Stéphane, inutile de compter! Du temps où il travaillait à séduire la famille, il s'activait comme un fou dans le jardin; depuis qu'il en faisait partie : terminé!

Mon père ne pouvant être partout, le verger n'avait pas été fauché, et l'herbe venait vous agacer les cuisses. Toute une saleté de verdure commençait à pousser sur la dernière demeure de Germain : on s'y est arrêtés un moment, et je l'ai raconté à Tanguy.

« Planter un arbre sur la tombe de quelqu'un, un fruitier, par exemple, qu'est-ce que tu en penses?

– Je pense que ça ne peut être que bon pour les fruits, a dit Tanguy. Mais certains risquent de leur trouver un drôle de goût, tu ne crois pas? »

C'était bien mon avis! Mais, malgré tout, j'aurais bien voulu que Germain se prolonge dans quelque chose, ne serait-ce que trois ou quatre pêches chaque année, mais cela devait faire partie de mes mauvaises idées.

Nous sommes allés jusqu'au grillage qui sépare le jardin de l'Oise. On l'a renforcé pour permettre à notre troisième génération d'explorer le jardin en toute liberté et s'en souvenir un jour comme d'une aventure immense.

Le fleuve transportait les dernières péniches du soir. Il sentait la vase et le pétrole. De vieux bidons noirâtres et des papiers gras fleurissaient sur ses berges. Pourtant, quelque part en moi, c'était toujours l'eau claire d'autrefois qui coulait et je ne cessais d'en avaler, le menton dans la main de Bernadette qui m'a appris à y nager.

J'ai regardé Tanguy. Le front appuyé au grillage, il fixait, dans la brume, les tours de sa ville.

« On dirait un prisonnier derrière ses barreaux », ai-je remarqué.

Il s'est tourné vers moi.

« Selon toi, de quel côté est la prison? Là-bas ou ici? »

En disant « ici », il avait montré *La Marette*, et j'ai compris que, si pour moi la famille était la vie, pour lui, elle avait pu être la prison.

Tandis que nous revenions vers la maison, je lui ai demandé comment il avait décidé d'être acteur.

« Quand j'étais au collège, on avait monté une pièce pour la fin de l'année : un truc plutôt comique. J'y tenais un rôle important. Le grand jour, quand tout le monde a été là, les parents, les professeurs, le directeur, au lieu de réciter mon texte, je leur ai balancé tout ce que j'avais sur le cœur, tout ce que je pensais de leurs sales gueules. Au début, ils ont cru que c'était dans la pièce : ils riaient. Puis ils ont compris; mais ils m'ont laissé aller jusqu'au bout. C'était fantastique. Je les tenais avec ma voix. Ils ne " pouvaient " pas m'arrêter.

– Et après?

– Ils m'ont flanqué à la porte; mais leur vérité, ils l'avaient eue!

– Ils avaient vraiment des sales gueules? »

Il n'a pas répondu. Nous passions près de la balançoire. Il s'est assis dessus et il a tendu les jambes en avant, bien droites.

« Pousse-moi! »

J'ai mis mes deux mains à plat sur son dos et j'ai commencé, tout doucement, comme pour un enfant qui a peur. Il était lourd par rapport à Benjamin qui s'envole tout de suite. Il avait fermé les yeux.

« Tu vois, il y a le vent normal, a-t-il dit. Il y a le vent quand tu roules un peu trop vite sur ta moto, et il y a le vent quand quelqu'un te pousse sur une balançoire...

– Et quand on est adulte, ce vent-là, parfois, il vous mord le cœur, ai-je dit.

– Parfois! »

Il sauté sur ses pieds. La balançoire m'est revenue, tourbillonnante, en plein ventre, merci! Lui, marchait vers la maison sans m'attendre. Je l'ai rejoint. Claire nous a donné l'habitude des phrases non terminées. Au moment où on s'y attend le moins, elle vous lance, comme à regret, un petit bout de fil, et avant qu'on ait eu le temps de la saisir, elle casse. Mais souvent, il vous reste malgré tout quelque chose pour mieux la comprendre.

J'ai pris la clef dans la cachette, sous la troisième marche de l'escalier, j'ai ouvert la porte de la maison, et précédé mon visiteur dans le salon.

« La voilà, la cheminée qui fume! C'est celle-là! »

J'y ai jeté une allumette. Chaque matin, Charles prépare le feu avant de partir, pour le premier qui rentrera. On n'est jamais tout seul avec un feu.

« Tu es souvent seule, ici?

– Les jours où maman rentre tard. »

Il a fait le tour du salon sans rien dire. Depuis la balançoire, c'était comme si quelque chose s'était fermé en lui. Et soudain, j'ai eu envie que ma mère soit là; mais elle avait emmené Benjamin acheter des chaussures d'hiver. Pauline a oublié que le cuir existe : son fils passe sa vie en espadrilles de tennis qui amollissent la voûte plantaire, favorisent la transpiration et ruinent l'avenir de vos pieds!

Sans me regarder, Tanguy a dit :

« On rejoue la pièce samedi et dimanche.

– Vous avez trouvé l'argent pour la salle?

– On nous en a prêté. »

J'ai remarqué que c'était chouette et, cette fois, il refuserait peut-être du monde! Mais il n'écoutait pas vraiment.

« Tu sais ce que m'a dit le propriétaire de la salle? Je devrais écrire une pièce comique. C'est ça qui marche. Les gens veulent rire. *L'Autre* les fait chialer. »

Je l'ai regardé.

« Pas tous! Pas ceux qui comprennent. »

Je sentais monter en lui cette force sombre que je commençais à connaître, qui changeait sa voix et son regard. Sur son balcon, l'autre jour, c'était venu de la même façon : à propos de sa pièce. A la fois, j'avais l'impression que son théâtre lui permettait de vivre et qu'il en crevait.

« J'ai une idée, ai-je dit. Si je vendais des trucs à l'entracte. Ce serait toujours ça de gagné. Qu'est-ce que tu en penses? »

Il a eu l'air de se réveiller :

« Des trucs? »

– Des trucs à manger, des glaces, des gâteaux. Je les fabriquerai ici. Ça sera tout bénéfice pour la troupe. »

Il s'est approché de moi. J'étais dos au feu, les genoux dans les bras, assise sur le tabouret de Pauline. Ici, tout a un nom de fille : le tabouret de Pauline, le bol de la « Cavalière », le fauteuil de la « Princesse ». Et la Poison? Celle qui se mêle de tout, fourre son nez partout et ses pieds dans le plat... la Poison qui empoisonne...

Il s'est accroupi devant moi. Je l'ai regardé profond, pour lui dire qu'il n'était pas seul. Ses yeux sont redevenus clairs.

« Tu es une drôle de fille, Cécile.

– Comment cela?

– Je n'en ai jamais rencontré une pareille, c'est tout! »

Je n'ai pas pu répondre. Je me sentais devenir toute drôle sous son regard. Toute faible. J'étais peut-être un peu amoureuse, finalement. Il avait un vraiment beau visage et un regard qui vous demandait tout. Il a respiré un peu plus fort, et il a avancé ses lèvres vers les miennes. Je me suis levée.

« Tu veux boire quelque chose? »

Il s'est mis à rire. Puis il a tiré une montre de sa poche.

« Pas le temps! »

C'était plutôt une montre de femme, ronde, ancienne. Comme celles que l'on portait autrefois autour du cou. Quelque chose s'est bloqué en moi. Il l'avait déjà remise dans sa poche. J'aurais voulu la revoir, cette montre. Et, en même temps, j'aurais voulu ne l'avoir jamais vue. Mais j'étais folle. Qu'est-ce que j'allais imaginer?

Je l'ai raccompagné jusqu'à sa moto. Je ne trouvais plus aucun mot en moi; j'avais froid.

« Merci pour la cheminée qui marche », a-t-il dit.

Comme je ne répondais pas, il a essayé de voir mon visage.

« Qu'est-ce qui se passe?

– Je me demandais qui tu étais! En fin de compte, je ne te connais pas.

– Je suis un visiteur du soir, a-t-il dit. Et aussi quelqu'un à qui tu as promis de venir samedi avec une cargaison de glaces, n'oublie pas. »

Il poussait sa moto. Nous avons passé la grille. Il a regardé autour de lui.

« C'est calme, ici. Vous avez beaucoup de voisins?

– Quelques-uns! Celui d'en face est un ami. On

l'appelle Grosso-modo parce qu'il le dit tout le temps.

– Grosso-modo, a-t-il dit, je crois que je suis content de t'avoir rencontrée. »

Il a enroulé son foulard autour de son visage, jusqu'au ras des yeux, à cause du vent, mais pas le vent des balançoires d'enfance.

Je le regardais toujours. Je ne pouvais pas m'en empêcher. J'aurais voulu qu'il me rassure; mais il ne savait pas que j'avais peur, puisqu'il s'est penché sur moi et, à travers le foulard, il a appuyé ses lèvres mouillées sur les miennes.

CHAPITRE XVII

UNE AUTRE LONGUEUR D'ONDE

J'ATTENDAIS! Que l'on parle de moi comme on parlait de mes sœurs, avec un même sourire dans la voix : beauté de Claire, yeux irrésistibles de Pauline, corps parfait de Bernadette. J'attendais, et rien ne venait. J'étais « la petite dernière », la « Poison », « le têtard », je n'en sortais pas, décidément, du stade « têtard »!

Dans les « boums », j'attendais que les garçons s'avancent vers moi et me choisissent parmi les autres. J'aurais noué mes mains autour de leur cou. Ils auraient noué leurs bras autour de ma taille et nous nous serions balancés, joue contre joue. On apprend qu'on n'est pas jolie, un soir, dans la musique et la fête, debout contre un mur, en regardant les autres profiter de leur beauté, s'en mettre plein les yeux, les mains et la bouche. On l'apprend le soir où l'on se dit que, finalement, on n'aime pas danser, on n'a pas envie de sortir.

« Je n'en ai jamais rencontré une pareille... »

Il a dit ça en me regardant de tout près et il m'a désirée. Je noue un foulard autour de mon visage, j'appuie mes lèvres entrouvertes sur la glace de la cheminée. Et il m'a embrassée... Plus beau que Paul, Stéphane et Antoine réunis! Toutes les filles à ses pieds, c'est forcé. Et il m'a voulue, moi! J'ai envie de tout recommencer. Je suis sur le tabouret, il s'approche, s'accroupit. Je sens le feu dans mon dos, fort. Nous nous regardons profond : « Je n'en ai jamais vu une pareille. » Le feu m'envahit partout. Ses yeux changent. Il respire plus vite. Il approche ses lèvres. Crétine! Pourquoi ce réflexe de te lever? Et s'il allait renoncer à toi? Mais non... après encore, près de sa moto.

Il est onze heures du soir. Je me tourne et retourne dans mon lit. J'allume, j'éteins. Ce n'est plus dans ma tête que ça se passe mais dans ma poitrine, qui tantôt se serre et tantôt gonfle à exploser! Quand je pense que j'aurais pu ne pas le connaître! C'était à un fil. Tout a commencé à l'église : « Qu'est-ce que je pourrais faire de bien? »... « Aller au théâtre », a répondu Jean-René! Il ne croyait pas tomber si juste. Je vais combattre cette force obscure qui monte en Tanguy et s'appelle « solitude ». Et si j'essayais d'être L'Autre? Avec un A encore plus grand. Tanguy... Ça tangue en moi, ça monte et ça descend, ça reçoit d'énormes paquets de mer; je suffoque et chavire. Si je ne parle à personne, je meurs noyée.

Je suis descendue au salon sans allumer, pour ne réveiller personne. J'ai caché le téléphone sous un coussin à cause de la petite sonnerie quand on décroche, et formé le numéro de Mélodie, prête à raccrocher en cas de voix adulte. C'est elle qui a répondu : une chance! Ses vieux étaient de paella chez des amis. Elle avait l'air plutôt abrutie. « Tu te rends compte de l'heure qu'il est? » « Il n'y a plus d'heure, quand on aime, ma vieille! » Parce que ça y était, j'aimais! Je lui ai raconté. Il y avait exactement six heures et vingt-cinq minutes, les lèvres d'un homme, convoitées de toutes, rencontraient les miennes. On se revoyait samedi, glaces à l'appui.

« Et Missile? a-t-elle demandé. Alors celui-là, il ne compte plus? »

Au contraire : il comptait plus que jamais! Je lui expliquerais.

Mélodie n'avait plus du tout sommeil. Elle se sentait un peu cafardeuse. Elle aurait bien voulu aimer, elle aussi, mais les garçons qu'elle rencontrait étaient tous débiles. Elle m'a proposé la pilule : sa mère ne finit jamais tout à fait ses plaquettes; depuis trois ans, elle récupère et s'est constitué de quoi tenir plusieurs mois.

Nous nous sommes séparées à regret vers une heure du matin quand elle a entendu monter l'ascenseur. J'ai juste eu le temps de lui dire de ne pas s'étonner si elle ne me voyait pas au cours demain : j'avais à faire! Qu'elle dise à « Point noir » que c'était le cœur pour s'épargner un mensonge.

Cette fois, je me suis endormie pile : Mélodie avait pris le relais. C'est ça, partager!

Le bruit de la pluie me réveille. Mêlé de vent. Un peu d'eau, pas trop, va préparer le terrain pour le pêcher. On a décidé d'attendre samedi pour le planter afin que mon père participe à la fête. Dans sa chambre, Benjamin feuillette son livre anglais. Il dort très peu pour son âge ce qui inquiète son grand-père. Je m'accroupis près du lit. Il grimpe sur mon dos, et nous descendons.

J'avale mes quatre tartines comme d'habitude pour ne pas éveiller les soupçons puis j'annonce à ma mère qu'aujourd'hui nos professeurs réfléchissent sur la meilleure façon de nous instruire et nous ont donc donné congé. Si cela peut l'arranger, je l'accompagnerai volontiers au supermarché; j'ai personnellement quelques achats à y faire, et je pourrai m'occuper de son petit-fils pendant qu'elle remplira son chariot. Proposition acceptée!

Nous faisons un échange de voiture avec papa :

celle de maman, minuscule et d'occasion, menace de rendre l'âme à chaque kilomètre. En chemin, j'interroge ma mère sur Mme Lamourette. Quelles sont les nouvelles? Est-elle toujours à l'hôpital? A-t-elle retrouvé la parole et décrit son agresseur?

Maman ne sait pas grand-chose, sinon que la pauvre femme ne veut plus entendre parler de rentrer chez elle : elle a trop peur. Elle finira sans doute ses jours chez son fils à Pontoise. Elle ne tient toujours pas sur ses pieds.

« Un mec capable de faire une horreur pareille, dis-je sans entrer dans les détails à cause de Benjamin qui n'en perd pas une miette, ça doit se lire sur sa figure! On ne doit pas pouvoir le louper!

– N'imagine pas ça, dit maman. J'en vois chaque jour à la prison qui ont fait pire encore. Eh bien, apparemment, rien ne les distingue de toi ou de moi; et quand tu leur parles, tu n'arrives tout simplement pas à y croire. »

Le supermarché est bourré. Ça se percute partout. Bientôt, c'est sûr, on mettra des sens uniques. Je propose de m'occuper des laitages; j'installe Benjamin dans mon chariot et en avant, commandant! Nous sommes dans la grotte des mille et un trésors. Il s'agit de s'emparer en un temps record du meilleur des meilleurs : droit au rayon « glaces »! Tandis que je me charge du nécessaire de base, il décide pour les parfums. J'obtempère sans discussion : les enfants ont parfois besoin qu'on leur obéisse.

« Mon Dieu, mais qu'est-ce que tu vas faire de tout ça? demande maman épouvantée lorsque nous la rejoignons secteur charcuterie. Tu te lances dans le commerce? »

Je la rassure tout de suite : c'est moi qui assume

les frais. Quant au commerce, son instinct ne l'a pas trompée. Je résume la situation : le théâtre, Tanguy. Prononcer devant ma mère, sans qu'elle s'en doute, le nom de l'homme que j'aime, me fait tout drôle : j'ai envie d'être gentille avec elle parce que je lui cache quelque chose.

« Il faudra que je te parle de lui. Tu pourrais m'aider! Il est super-mignon, super-sympa, super tout, mais il a de super problèmes.

– Les problèmes, c'est toi qui vas les avoir si tu te lances dans la fabrication des glaces au lieu de travailler tes cours », répond maman.

Ça me tue! Dans le chariot qui se trouve à côté de celui de Benjamin, il y a une petite fille noire. Cela fait un moment que Benjamin l'étudie très attentivement. Il tend la main et la touche avec grande précaution.

« Elle est pas sale, explique-t-il à la ronde, le plus fort possible. Elle est pas sale du tout! C'est juste sa couleur de peau, comme nous la couleur blanc.

– Blanche, rectifie maman. Et bien sûr qu'elle n'est pas sale! »

La mère de la petite fille, très jolie elle aussi avec ses dizaines de nattes sur la tête, comme des flammes, jette de notre côté un regard indigné et écarte un peu son chariot. Elle commande vingt-quatre merguez épicées. Après, c'est à nous!

« On doit lui prêter absolument ses crayons de couleur, poursuit Benjamin avec conviction. Et si on l'appelle " cacao ", on est un imbécile et on va au coin. »

Il mouille son doigt, se penche en avant et, au risque d'entraîner le chariot, s'empare de la main de sa voisine qu'il frotte de toutes ses forces pour montrer à l'assemblée que c'est bien sa couleur naturelle. La petite fille trouve ça très drôle; pas la mère qui nous foudroie tous les trois avant de déclarer que c'est une honte, et de s'éloigner d'un beau pas dansant. Benjamin est triste de perdre si vite une amie.

« Six tranches de jambon blanc », demande maman à l'employée pliée en deux de rire.

Pendant qu'elle nous prépare ça, je reprends le fil de la discussion.

« Je ne sais pas si tu vois, mais les gens normaux, toi, moi, ça ne m'intéresse pas tellement... Comment tu expliques ça?

– Vous me mettrez aussi un peu d'andouillette de Vire », demande maman.

Elle se tourne vers moi :

« C'est peut-être parce que toi-même tu ne sais pas encore bien qui tu es... Et une tranche de pâté s'il vous plaît!

– Ce serait formidable que tu viennes voir la pièce de Tanguy, dis-je. Elle s'appelle *L'Autre*. Ça m'intéresserait d'avoir ton avis et une entrée de plus, ça se néglige pas.

– Pour l'instant, dit maman qui a l'air énervée comme tout : si tu n'y vois pas d'inconvénient, on va passer à la caisse avant qu'il n'y ait une queue du diable. »

En déballant les provisions à la cuisine, elle s'est aperçue qu'on lui avait mis du pâté de foie alors qu'elle avait en tête une terrine de lapin au champagne et ça ne l'a pas mise de meilleure humeur. J'essayais de poursuivre le dialogue : elle qui étudiait tous les jours la psycho sur le tas, elle pourrait peut-être m'aider à comprendre Tanguy. Il avait des hauts et des bas. Des hauts superbes, mais des bas terriblement bas. Certaines choses m'inquiétaient... Je me demandais...

« Ecoute, m'a interrompu ma mère de la voix que je n'aime pas. Si tu allais réviser tes cours au lieu de te raconter des histoires sur tout le monde, et de chercher partout des cas extraordinaires. J'espérais que cette histoire de Mobylette t'avait suffi! »

Il ne manquait plus, pour faire déborder le vase, qu'un coup de téléphone : celui que nous redoutions tous depuis quelques jours, l'inévitable : celui de Paul!

Il appelait de Saint-Tropez. Cela faisait dix fois qu'il essayait d'avoir quelqu'un chez lui mais le désert! Savions-nous où se trouvaient sa femme et son fils?

Maman a été parfaite; le calme en personne, la voix inexpressive : « Pauline avait rejoint Béatrice en reportage et nous avait confié Benjamin. Mère et enfant se portaient bien. »

J'ai voulu prendre l'écouteur pour avoir la réaction de l'intéressé, mais elle me l'a arraché avec un regard meurtrier. « Non, ma mère ne savait pas où Pauline était partie, ni pour combien de temps. Cela s'était décidé brusquement. Elle ne pouvait rien dire de plus. »

Il y a eu un silence; quelques mots que je n'ai pas entendus; puis Paul a raccroché, sans avoir demandé à parler à son fils qui a la passion du téléphone.

Maman est restée un petit moment sans bouger, sans rien dire ni tenir compte de ma présence. J'avais cette boule dans la gorge. « Qu'est-ce que Paul allait faire maintenant? Allait-il venir nous reprendre Benjamin? Le divorce pour abandon du domicile conjugal, est-ce que c'était ça? Dans ce cas, qui aurait la garde de l'enfant? Est-ce qu'on pourrait, nous, l'avoir de temps en temps à *La Marette*? »

Maman a relevé la tête; au calme avait succédé la tempête, quand elle m'a répondu.

« Tu vas me faire le plaisir de cesser de poser des questions stupides et d'aller t'occuper de ton travail, oui ou non? »

C'était clair! Une fois de plus, j'empoisonnais!

CHAPITRE XVIII

NE M'APPELLE PLUS LA « CAVALIÈRE »

« Tu empoisonnes, dit Pauline. Qu'est-ce que tu crois? Je le savais bien qu'il appellerait! Laisse-le mariner dans son jus. Et qui te dit qu'il n'était pas avec cette fille quand il a téléphoné, le salaud! Bouche cousue, tu m'as promis!

— O.K.! Mais je te signale que, pour l'ambiance, à la maison, c'est pas ça. Et Fabrice?

— Toujours à l'hosto et toujours muet. Il n'a pas l'air d'avoir envie de rentrer chez lui. Je m'étais trompée : pas trace de coups, paraît-il. Et apparemment, il était convenablement nourri. Un esclave en bon état, quoi! Un médecin l'a pris en charge, spécialiste de ce genre de chose, jeune, sympa! On est arrivé à voir les parents : abrutis. Des bûches. Ce que Béa voudrait, c'est une photo de Fabrice mais de ce côté-là, c'est toujours bloqué. D'où tu appelles, cette fois?

— De la maison! Maman est à son boulot; elle écoute les autres à défaut de moi. Benjamin fait sa sieste, merci de demander de ses nouvelles. Evidemment, il n'y a pas d'article à faire sur lui : ni son père ni sa mère ne lui tapent dessus, ils se contentent de le larguer.

— Qu'est-ce qui te prend?

– Rien! Tout va au mieux! »

Pauline se tait un moment. Je la vois. J'ai envie, une envie folle qu'elle soit là : pour moi!

« Rentre.

– Pas encore.

– Il faut que je te parle... de choses importantes. Très! »

Et alors, elle se met à rire.

« Ça ne prend pas, Poison. Je te connais. Tu dis ça pour me faire revenir. Paul vous a eues avec son coup de fil. Pas question! »

Je raccroche. Si elle a besoin de mes services, elle sait où me trouver.

Trois heures sur la pendule, à Neuilly. Quelle heure sur la petite montre ronde dans la poche de Tanguy? Dans une rue étroite, une maison moderne qui fout déjà le camp de partout. Plein de dessins sales sur les parois de l'ascenseur. Quatrième étage. Je sonne.

« Salut, Poison! dit Bernadette. Une sacrée bonne idée d'être passée me voir... Mais qu'est-ce qui t'arrive? »

D'un seul coup, ce sont les grandes eaux, le ras le bol complet.

« J'en ai marre qu'on m'appelle " Poison " ».

Elle ouvre des yeux immenses :

« Mais ça fait dix-huit ans qu'on t'appelle comme ça! Je croyais que tu aimais, moi! »

Je lui montre son quarante mètres carrés.

« On t'a appelée la « Cavalière » pendant quinze ans! Qu'est-ce que ça voudrait dire maintenant? T'aimerais ça, peut-être? »

Elle m'attrape par l'épaule.

« Allez, viens! »

C'est allumé dans son living. C'est surtout ça, l'hiver : un voleur de lumière. Chaque jour, il nous en chaparde en douce quelques minutes de plus; il vous enfonce la tête dans la nuit, la boue, la déprime. En plus, depuis hier, l'Oise monte! Si ça continue, elle va déterrer Germain. On le retrouvera, ventre en l'air, flottant entre les péniches. Attention, touchez pas, ça pue mais c'était l'amour!

Bernadette me pousse sur le canapé. Par terre, entre les jouets, il arrive qu'on distingue quelques centimètres de moquette.

« Les filles sont à la maternelle; on a une heure devant nous! Qu'est-ce que tu dirais d'un " café irlandais "?

– Vas-y! Et ne lésine pas sur l'alcool. »

Boire, fumer, se droguer, et même, peut-être, brûler les pieds d'une vieille dame, c'est hurler tout bas : comme dans les rêves où vous êtes en danger de mort, vous avez beau ouvrir la bouche, rien ne sort, c'est affreux.

Je laisse ma sœur pourvoir à tout, et je fais le tour des lieux en attendant que ça passe. Sur le mur de sa chambre, en face du lit offert par mes parents, le grand poster de Germain avec trois filles dessus. Elles s'appellent Bernadette, Pauline et Cécile; elles s'amusent comme des folles. N'oublions pas la quatrième, Claire, en train de se dorer au soleil!

Dans un coin de la glace, tiens, un billet de tiercé. Voilà qui est nouveau, ça! Stéphane? Je reviens dans le living. Le soir, on y déplie les lits des jumelles. A part ça, deux mouchoirs en forme de cuisine et de salle d'eau... A part ça, par la fenêtre, vue imprenable sur le béton. Pas tellement mieux que du côté de chez Tanguy. Mais Bernadette ici, je ne peux pas m'y faire. Elle n'aimait que la campagne, le vent, l'aventure. Tout juste si elle ne dormait pas avec ses bottes. C'est donc à cela que mène un grand amour? Changer l'espace contre quatre murs, et ses bottes contre des chaussons?

La voilà, portant avec précaution deux hauts verres coiffés de crème. Elle me met le plus plein dans la main. Ça sent fort, chaud, inhabituel surtout : enfin, une petite odeur de liberté!

« A quoi tu pensais?

– A toi! Les canassons, ça te manque pas trop?

– Horriblement! Je rêve toutes les nuits que je galope. Et l'odeur aussi! Si tu savais comme ça peut me manquer, l'odeur du manège!

– Il n'y a vraiment rien à faire? Tu ne peux pas t'y remettre?

– Quand? demande-t-elle. Et avec quel fric? Avocat stagiaire, ce n'est pas le pactole, je t'assure. Six ans d'études pour gagner le smic! Envoie-moi ceux qui disent que l'argent ne fait pas le bonheur, je les étrangle. Si j'avais du fric, j'aurais quelqu'un pour garder les filles, se charger de la bouffe et du reste, et moi je monterais, je monterais, je monterais...

– Tu ne pourrais pas retravailler dans un manège, et te payer ce quelqu'un avec?

– Trouve-moi le manège! Là non plus, on n'embauche pas! Le client se fait rare. Il n'y a que les vraiment mordus qui persistent. Pour les autres, ça a été une mode. Ça faisait bien! « Qu'est-ce que vous « faites, dimanche? » « Je monte, mon cher »... Et un jour, ils se sont aperçus que c'était haut, un canasson! Que ça faisait mal aux cuisses, vous obligeait parfois à vous lever tôt, et qu'en plus il fallait payer! Alors, ils sont retournés à leur télé! Crève-cœur s'apprête à fermer boutique faute d'amateurs. Tu le savais? »

Je savais que les seules fois où elle pouvait encore monter, c'était le dimanche, quand elle venait à *La Marette* et nous confiait ses filles. Je sais que ça va être terminé.

« Et les Saint-Aimond? Ils peuvent rien t'allonger?

– Ils allongent déjà le loyer avec les parents. Et ils sont dans la panade eux aussi, figure-toi! »

Je la regarde, incrédule :

« La panade? Les Saint-Aimond? Avec leur château?

– Justement " avec leur château "! C'est un souvenir de famille! Deux cents ans qu'ils naissent là-dedans. Si tu le leur ôtes, tu leur arraches le cœur avec. Et leur souvenir de famille, avec ses kilomètres de toits à refaire chaque année, ses murs qui se lézardent, sa tuyauterie qui fout le camp, il leur bouffe tout ce qu'ils ont. Les affaires du père de Stéphane ne vont pas fort. Cette année, il a dû vendre des meubles pour payer ses impôts.

– Et le maître d'hôtel?

– Parti. Je te signale qu'il était aussi jardinier et chauffeur. »

Je suis triste. Je l'aimais bien, ce type qui mettait des gants blancs pour vous servir le champagne. Dommage! Pour moi, ça ne se passera plus qu'au cinéma.

309 « s tu n'es pas venue pour m'entendre parler de mon triste sort, dit Bernadette. Et toi, raconte? »

J'ai vidé la moitié de mon verre, et ça commence à tourner sérieusement. Je ne sais pas par quoi débuter : trop de choses : Tanguy, Pauline, Fabrice, les pieds cuits de Mme Lamourette, cette stupide histoire de montre qui me tourne sans arrêt dans la tête, l'association d'auto-protection.

Je commence par là. C'est le plus facile à venir. Bernadette applaudit.

« Je m'inscris pour les week-ends. Tu peux le leur dire! »

On discute sur la violence : elle sait ce que c'est! Et des deux côtés...

« Tu vois, quand Stéphane rentre le soir, tout content de sa journée, moi, j'ai envie de l'étrangler parce que j'ai les jambes et les bras qui fourmillent; comme si c'était sa faute, les jumelles, pas de fric, tout! »

Elle veut bien reconnaître que la société n'est pas toujours à la hauteur, que certains types ont des excuses, « certains, attention, pas tous! Il y a des salauds de naissance, que tu le veuilles ou non, des irrécupérables... Le mal, ça existe. Il y a des chevaux vicieux; rien à faire sauf les abattre. » Et elle sait bien qu'à *La Marette*, « on a été super-privilégiées, aimées, couvées, bordées, tout! ». Mais elle réclame, elle exige, elle ne renoncera jamais à son droit de se défendre si on vient l'attaquer, « c'est tout »!

Elle vide son verre d'un trait, et le claque fort sur la table. Je retrouve ma sœur! D'ailleurs, pas trace de chaussons à ses pieds : elle porte de hautes chaussettes épaisses de couleur qui lui montent au-dessus du genou : très sexy!

« Et après?

– Paul a appelé ce matin du Midi. Il voulait savoir où était passée Pauline.

– C'est toi qui l'as eu?

– Maman!

– Qu'est-ce qu'elle lui a dit?

– En reportage avec Béa! Direction inconnue.

– Et c'est ça qui te tourmente? Il ne l'a pas volé! Chacun son tour de se ronger les sangs.

– Moi, je sais où elle est! »

C'est quand même excitant de voir sa réaction. Elle reste dix secondes bouche ouverte.

« Tu sais où elle est? Et tu n'as rien dit à personne?

– J'ai juré à Pauline! »

Elle se lève et se promène un peu pour digérer la nouvelle. Cette fois, je peux être tranquille : aucune torture en perspective! C'est réservé à *La Marette*, ce genre de douceur. A *La Marette*, on revient à la case « départ ». C'était comme un jeu où on partageait tout : le bon et le mauvais, le rire et les larmes; chacune son tour de lancer les dés, ou de tirer les cartes, mais nous suivions un même chemin. Jeu de l'Oie. Quatre oies blanches qui s'efforçaient d'arriver au but, sans savoir que ça signifierait la fin de la partie.

« Acte un, dit Bernadette qui regarde la pluie tomber en se bourrant une pipe, Pauline découvre que Paul la trompe! Acte deux, elle disparaît. Je serais toi, j'attendrais le troisième pour moufter. Trop tôt!

– Et si c'est le divorce, le troisième acte?

– On divorce quand l'amour bat de l'aile. Au moins d'un des côtés. Apparemment, nous n'en sommes pas là. »

D'un seul coup, cent kilos en moins sur le cœur! Parler, c'est le plus beau verbe du monde! A condition de le conjuguer vraiment.

« A propos d'actes, dis-je, tu sais, la pièce que j'ai vue le week-end dernier, eh bien, j'ai rencontré l'auteur. C'est l'acteur aussi, d'ailleurs. Un type très chouette, qui s'appelle Tanguy. Ça me plairait que tu le connaisses. J'aurais besoin d'avoir ton avis. Urgent. »

Pour la voix plate et le visage lisse, je suis loin de l'art de maman. Bernadette avance vers moi d'une démarche chaloupée de séducteur, front plissé et œil inquisiteur.

« On commencerait donc à s'intéresser au genre masculin? Ça ne serait pas trop tôt.

– Et si c'était le genre masculin qui, jusqu'ici, ne s'était pas intéressé à moi? »

Elle s'agenouille devant moi, et approche son visage du mien pour me regarder sous le nez, presque d'aussi près que Tanguy.

« Eh bien, tu vois, je serais un mec, tu me

plairais! Je commencerais peut-être par Marilyn ou Bardot, mais passée la poudre aux yeux, c'est par toi que je finirais. T'es du costaud, toi. Et celui qui t'héritera, il ne risque pas de s'ennuyer. »

Je ne sais pas comment je dois prendre ça, mais c'est rudement près de ce que m'a dit Tanguy hier : « Je n'en ai jamais rencontré une pareille... »

Ma poitrine s'élargit : Tanguy! Le bleu jamais pareil de ses yeux, ses lèvres humides derrière la soie.

« En tout cas, O.K. pour dimanche, dit Bernadette. Je tiens à connaître l'heureux élu. »

Elle regarde sa montre, me lâche, se lève d'un bond. Déjà quatre heures! Il faut aller chercher les filles.

Comme nous vérifions l'aspect devant la glace de sa chambre, je montre le billet de tiercé.

« C'est Stéphane?
– C'est moi! »

Et soudain, elle se fige. Je connais ce regard. C'est celui qu'elle doit avoir quand, sur son cheval, elle saute les obstacles. Elle prend le billet, le tourne et le retourne d'un air stupéfait. On dirait qu'elle le découvre.

« Merde! Mais tu te rends compte? Tu te rends compte sur quoi je comptais pour changer ma vie? Le gros lot! La chance, la baraka! Les chevaux, je lisais leur histoire dans les journaux; et j'allais dans un café parier sur le plus rapide au lieu de monter dessus, et d'éperonner moi-même! »

L'œil toujours aussi noir, elle déchire tranquillement le billet.

« Merci à toi, Poi... Cécile! Tu m'as réveillée. Je vais faire quelque chose. Je ne sais pas quoi, mais je vais faire. La chance, c'est bien connu! Ça se prend aux cheveux : ça ne s'attend pas en tirant la langue. »

La pluie fait briller la rue et monter des odeurs mêlées qu'on reconnaît quelque part en soi. Quand on passe près d'un arbre, je touche son tronc. Bernadette regarde droit devant elle, comme vers un but. Si je pouvais l'aider, trouver une idée!

« En attendant, question baby-sitting, jusqu'à nouvel ordre, je viens gratis! »

Elle se tourne vers moi d'un coup, et me regarde sans répondre : elle est pleine de pluie partout : les cheveux, les joues, les yeux. Au moins une qui ne me reprochera plus d'être radine!

D'autres mères, devant le haut porche de l'école, attendent leur progéniture : des femmes avec imperméable, bottes à talons, parapluie, sac, maquillage. Des femmes de Neuilly-sur-Seine, très comme il faut. Rien à voir avec les filles de Mareuil.

Bientôt, les portes s'ouvriront et la vague des enfants déferlera. Deux petites filles semblables, aux yeux et cheveux clairs, viendront se jeter dans les bras ouverts de Bernadette – cheveux et yeux sombres – accroupie pour encaisser le choc. Elle disparaîtra sous l'assaut et moi, une fois de plus, je ne saurai plus bien où j'en suis.

« Je peux te demander une chose? dit Bernadette. Jusqu'à nouvel ordre, mais jusqu'à nouvel ordre seulement, ne m'appelle plus la " Cavalière ". »

CHAPITRE XIX

UN SACRÉ GAILLARD

On a planté le pêcher samedi, vers onze heures, là où il aurait suffisamment de profondeur pour ses racines, sans trop d'humidité, et de façon que, de la fenêtre de sa chambre, c'est-à-dire de celle de Pauline, Benjamin puisse l'admirer.

Grosso-modo l'avait fait empaqueter puisqu'il s'agissait d'un cadeau, et il l'avait entouré d'un très beau ruban vert. La plupart des gamins auraient tout arraché pour admirer plus vite, Benjamin a pris son temps afin de ne rien abîmer et l'arbre est apparu.

Je l'avais affranchi : un arbre-enfant qui n'aurait l'air de rien mais deviendrait grand, copain du soleil, du vent et de la pluie, un peu trop celui des oiseaux et des guêpes. Il a quand même semblé déçu en voyant cette sorte de tige avec ses racines maigrelettes : on avait peine à croire que la vie était là. Alors, Tavernier a eu un de ses sourires et il a sorti de sa poche le portrait d'un arbre de la même famille, mais adulte. C'était un « Spring-time », ce qui veut dire « printemps » : un arbre diligent, qui ne prenait pas des années pour produire ses fruits : des pêches pas trop gonflées, blanches et roses comme des joues. Ce pêcher les produirait début juillet, juste au moment où les enfants commencent leurs vacances à *La Marette* : on peut compter sur Grosso-modo pour penser à tout!

On l'a planté à bonne distance de l'abricotier pour qu'ils ne se portent pas ombrage, mais pas trop loin non plus des peupliers et du tilleul qui le protégeraient des vents trop violents. Un arbre, c'est comme un homme : il lui faut toutes sortes d'éléments divers, et parfois contradictoires, pour arriver à l'harmonie.

« Quand il sera très grand, plus grand que moi, est-ce qu'il sera toujours " mon " arbre? a interrogé Benjamin avec inquiétude.

– Même s'il devenait géant, il mourrait si tu ne t'en occupais pas, lui ai-je dit. Il aura besoin de toi toute sa vie. »

Papa a posé la main sur l'épaule de son petit-fils, puis il lui a fait un cours magistral sur les maladies des arbres et leurs nombreux ennemis. Il faudrait le protéger contre tout cela, le fournir en engrais et, si besoin était, l'armer d'un tuteur : c'était là une véritable responsabilité.

« Qu'est-ce que c'est : une " responsabilité "?

– Quelque chose ou quelqu'un qui dépend de toi », ai-je répondu.

Il s'est tourné vers Tavernier.

« Comme la maman de Pappy? a-t-il demandé.

– C'est ça.

– Elle a beaucoup d'ennemis, ta maman?

– Elle en a quatre-vingt-six! Grosso-modo, tu vois, ce sont les années, ses ennemis! »

Benjamin a regardé notre voisin avec respect. Ils s'entendent très bien : ils se prennent mutuellement très au sérieux.

« Est-ce que tu la fournis aussi en engrais, ta maman? a encore demandé Benjamin.

– Bien sûr, a dit Tavernier, mais, grosse-modo,

nous les hommes, nous appelons ça des vitamines et ce sont les docteurs comme ton grand-père, et non les jardiniers comme moi, qui rédigent les ordonnances. »

Nous nous y sommes tous mis pour creuser le trou. La pluie avait attendri le sol. Nous avons réveillé une colonie de vers de terre. Benjamin désirait les mettre dans une boîte pour Charles de Vahia, un ami qui les mangeait vivants contre cinq francs pièce; mais papa lui a expliqué que les vers ont leur utilité : en travaillant la terre, ils permettent à l'arbre de respirer aussi par ses racines. Il lui a fait également remarquer, au cas où il voudrait imiter son ami, qu'à la longue, ils feraient des dégâts dans l'estomac de Charles de Vahia, et Benjamin a volontiers renoncé à son projet.

J'ai tenu le pêcher avec lui, bien droit, pendant que les hommes comblaient le trou. L'air était particulièrement doux, le vent courait comme un aventurier, comme déjà un souvenir, et quand les cloches de l'église se sont mises à carillonner, tout est devenu parfait. Benjamin a levé des yeux éblouis pour voir cette joie éclater dans le ciel; il devait penser que c'était pour célébrer son arbre. Je savais qu'il s'agissait d'un mariage. Il y en a chaque samedi à Mareuil et ensuite la noce va s'empiffrer pendant cinq heures au Grand Relais et le soir ils ne sont plus eux-mêmes, parfois ils deviennent dangereux; il faut se méfier.

Je regardais souvent vers la grille; je me demandais si Jean-René n'avait pas oublié sa promesse.

Il est arrivé au grand galop, tenant à deux mains son surplis à dentelles. En voyant ça, maman qui, de la fenêtre de la cuisine, ne perdait pas une miette du déroulement des opérations, est descendue elle aussi nous rejoindre. Nous étions tous autour de ce morceau de bois dressé dans l'herbe. Jean-René a posé sa main dessus, il a dit que Dieu, qui se trouvait dans tout ce qui vivait, se trouvait aussi dans cet arbre à venir et, qu'à sa façon, en produisant un jour des pêches, celui-ci le glorifierait. Puis il s'est tourné vers Benjamin et lui a expliqué qu'il devrait, lui aussi, pour remercier son créateur, donner les meilleurs fruits possible.

Benjamin s'est mis sur la pointe des pieds, et il a levé les bras vers le ciel pour dire qu'il comprenait. Alors Jean-René a béni l'arbre et toutes les personnes présentes. Grosso-modo avait retiré sa casquette. J'aurais voulu que cela dure toujours, mais les cloches sonnaient de plus belle pour rappeler au curé qu'un homme et une femme l'attendaient pour qu'il les marie; aussi il s'est remis à galoper sans que ma mère ait eu le temps de donner un coup de brosse au bas de son pantalon plein de terre du jardin.

« Si, avec tout ça, ton pêcher ne devient pas un sacré gaillard », a dit Grosso-modo à Benjamin d'une voix un peu enrouée.

Benjamin a répété plusieurs fois le mot : « Gaillard. » C'est ainsi que l'arbre a pris son nom.

Quand Gabriel est arrivé avec ses parents, il a couru droit à la balançoire, émerveillé qu'elle soit libre. Il s'en est donné à cœur joie, en hurlant d'enthousiasme pour attirer les amateurs; mais voyant que personne ne lui disputait sa place, il s'est lassé, puis il est venu s'asseoir à côté de Benjamin qui contemplait Gaillard.

Benjamin s'est mis à pousser des cris épouvantables : c'était « son » arbre et Gabriel n'avait pas le droit de le regarder. Il a fallu qu'Antoine lui explique avec patience qu'on ne pouvait pas toujours empêcher les autres de regarder ce qui vous appartenait, par exemple sa maison, ou son jardin, ou, sur la mer, son bateau. Certaines personnes faisaient même tout leur possible pour qu'on les regarde encore plus. Ils ajoutaient des tours à leurs maisons, des fleurs dans leurs jardins, choisissaient pour leurs bateaux des voiles de couleurs éclatantes afin qu'on voie de loin le vent les gonfler; et leur poitrine, alors, se gonflait de fierté, et ils se sentaient, eux aussi, tirés en avant. Benjamin ne serait-il pas heureux que l'on admire les fruits superbes de son pêcher?

Benjamin a admis Gabriel, mais le drame a recommencé avec l'arrivée des jumelles qui voulaient, non seulement admirer Gaillard, mais aussi le toucher pour s'assurer que c'était un véritable arbre plein de noyaux de pêches à l'intérieur. Les explications ont recommencé, et tout cela a occupé les parents jusqu'à l'heure du déjeuner.

J'ai été un peu gênée lorsque les hommes, cherchant des glaçons pour l'apéritif, ont trouvé dans les bacs, mes sorbets vanille, fraise, chocolat, café et pistache. Ils ont fait contre mauvaise fortune bon cœur, ce qui n'a pas été le cas de ma mère quand elle s'est aperçue que j'avais été dans l'obligation de sortir ses produits congelés pour me faire la place nécessaire. J'avais eu beau tout mettre au frais sur le rebord de la fenêtre, le gigot était mou en surface, les pommes de terre en profondeur et la ratatouille faisait une drôle de gueule. On allait, paraît-il, devoir manger tout ça en catastrophe, je ne me rendais décidément compte de rien et, au lieu de m'occuper des problèmes imaginaires d'autrui, j'aurais pu commencer par m'attaquer à ceux, réels, que je créais autour de moi.

Lorsque j'ai rétorqué que j'avais une mère plus intéressée par les problèmes de ses prisonniers que par ceux de sa propre fille, ça n'a pas arrangé les choses. Si vous ajoutez au tableau que Benjamin refusait d'aller faire sa sieste tant que son arbre n'aurait pas fourni au moins une pêche pour son dessert, que mon père faisait la tête parce qu'il avait perdu sa chemise à la belote, et que la tarte aux quetsches avait brûlé, vous comprendrez que l'ambiance était électrique. Tout avait pourtant si bien commencé : plantation et bénédiction. Mais il y a des jours où on a beau faire, ce n'est pas ça!

CHAPITRE XX

UN BEAU PAQUET QUI FAIT TIC TAC

Superbe, au centre de la scene, il crie. Les paroles fusent de lui comme le feu d'un volcan dont la lave chercherait à aller arracher de leurs maisons, leurs tables bien garnies, leur télévision, ceux qui ne sont pas venus : les gens du dimanche, du repos et du confort. Il crie cet *Autre* qu'il attend en vain, la folie du monde, la haine, la bombe, son cri non entendu.

Dans la salle, une douzaine de personnes seulement dont Mélodie, Bernadette et moi. Le bide! Il crie dans le désert.

J'ai envie que la pièce s'achève, que le rideau tombe. J'ai mal pour Tanguy. Un jour, un petit garçon a tenu par son discours l'assemblée de ceux qui refusaient de l'écouter; et qu'importe qu'ensuite ils l'aient chassé : il leur avait sorti ce qu'il avait sur le cœur. Aujourd'hui, ils le chassent d'une autre façon, en ne venant pas, tout simplement, et son cri se retourne contre lui, et le consume. C'est ce que j'avais senti l'autre soir, à *La Marette* : pour vivre, Tanguy a besoin de son théâtre; et il crève de son théâtre.

Je le prends tout entier dans mes yeux : je prends l'enfant que je n'ai pas connu, l'adulte qu'il est aujourd'hui, avec ce qu'il a fait de bien et de mal aussi, tant pis. Je me fais la salle entière, tous les regards et les oreilles. Mais ce soir, il ne me voit pas. Il regarde au-delà, vers les regards et les oreilles fermés.

C'est la fin. Il est seul sur scène : « *L'autre* n'existe pas. » Moi, je vois un pêcher dans le vent, j'entends les cloches d'une église. Jean-René lève les yeux : *l'Autre*, cela peut être Dieu. « De quel côté est la prison? » crie Tanguy. Mélodie effleure mon coude : « Ce n'est pas pareil que la dernière fois, il improvise », me souffle-t-elle. Pas tout à fait. Il me l'a demandé à moi l'autre jour : « De quel côté est la prison? » Je n'ai pas su répondre.

Penchée en avant, Bernadette écoute avec une expression tendue. La voix de Tanguy s'est faite plus sourde, presque inaudible, comme s'il parlait maintenant de très loin, à lui-même, en lui-même. Il dit qu'au fond de nous, passé tout ce que nous entassons chaque jour pour nous aveugler, ces deux yeux qui nous regardent, c'est encore nous. *L'Autre*, c'est nous. Tout seul. Salut!

Le rideau tombe, se relève. Le pire était à venir : les sifflets! Ils fusent du fond de la salle. Ils ne viennent même pas de « vieux », incapables de comprendre, sclérosés, durs comme de vieux rochers, mais d'un petit groupe de jeunes. Ils huent Tanguy, lui crient qu'il ferait mieux de fermer sa gueule. Immobile, il les fixe jusqu'à ce que le rideau se baisse pour la dernière fois.

Je suis debout, tournée vers ces imbéciles et je m'entends crier : pourquoi sont-ils venus? Ils n'avaient qu'à rester chez eux, avec leurs machines à images, à bruit ou à vitesse : leur matériel à ne pas penser, à mourir sans s'être jamais demandé qui ils étaient ni ce qu'ils faisaient là. Ils ricanent, et me répondent qu'ils sont là, et bien là. Est-ce que je veux qu'ils me le prouvent? Je les insulte. Ils ne me font pas peur : pour moi, ils n'existent pas.

« Suffit! ordonne Bernadette. S'ils n'existent pas, arrête! »

Elle appuie sur mes épaules. Je retombe sur mon siège. Nous ne sommes plus que trois dans la salle. Je refuse de pleurer.

« Qu'est-ce qui t'a pris? demande-t-elle. Sa pièce déplaît, c'est comme ça! Quand on donne un spectacle, on en accepte les conséquences. Il agresse : on lui répond. Normal. Et tu n'obligeras jamais les gens à payer pour qu'on leur dise qu'ils sont des nullards, et que le monde va leur exploser à la gueule.

– Ils n'ont rien compris. C'était magnifique.

– Ça, tu permettras qu'on en reparle. »

Je me tourne vers Mélodie qui dévore ses ongles pour n'avoir pas à donner son avis. Elle, c'était prévu. Seul le comique l'intéresse : rire, ça aide à digérer. Elle est venue regarder de près mon premier amour et m'aider à écouler les glaces. Parlons-en, des glaces! Deux « vanille-chocolat », une « pistache-fraise ». Point final. On avait pourtant bien fait les choses. Chaque parfum dans son bol, les bols dans la glacière portative, verres et petites cuillères en plastique. Le tout pour une armée.

« Je croyais que tu devais me le présenter? » dit Bernadette.

Elle a quelque chose de résolu dans le regard. On ne plaisante pas. Cela me fait du bien. Je la guide direction coulisses. Mélodie suit avec le ravitaillement. Qu'est-ce que je vais dire à Tanguy? Je ne trouverai jamais les mots qu'il faut. Je me sens minuscule et inutile.

Sa porte est fermée, évidemment! Mais on voit la lumière dessous. Nous frappons : rien! J'appelle : silence! « Attends », dit Bernadette. « Voyons par là. » Au bout du couloir, un bureau éclairé. Les trois autres comédiens y sont, dans leurs costumes de scène : la conversation cesse quand nous entrons.

« Alors, apparemment, ce soir, c'était pas ça ! » attaque ma sœur.

Ils explosent tous en même temps. On ne les y reprendra plus. Terminé ! Ils arrêtent là les frais. D'ailleurs, ils n'y ont jamais cru à cette pièce. Une pièce ? Plutôt un monologue. De l'improvisé où ils jouaient le rôle de potiches, sans jamais savoir ce qui allait leur tomber dessus. Ça ne pouvait pas marcher ! Ajoutons qu'ils n'ont pas touché un sou jusqu'ici. Ils abandonnent.

Je m'approche de Maryse qui, l'autre jour, riait avec Tanguy dans sa chambre ; ils avaient l'air de plutôt bien s'entendre.

« Mais vous avez encore la salle demain. Vous ne pouvez pas le lâcher comme ça ! Il ne va pas la jouer tout seul, sa pièce ! »

Elle me regarde de la tête aux pieds et ricane :

« Je te laisse ma place si tu veux. Tu verras comme c'est drôle.

– De toute façon, cette histoire commençait à sentir sérieusement le pourri ! » renchérit Manuel.

Mon cœur saute : le pourri ? Qu'est-ce qu'il veut dire par là ? Je m'apprête à demander des explications, quand Tanguy apparaît.

Il s'est changé, lui, et démaquillé. Il me semble qu'il est très pâle. On ne voit que son regard. Il nous fixe tous, qui avons cessé de parler, qui nous sentons honteux, mesquins, petits, lâches, et voilà qu'il se met à rire : comme on rit lorsqu'on se découvre abandonné et que l'on répond que cela vous est complètement égal, mais alors complètement ! On a tout ce qu'il faut ailleurs.

Il rit et brandit une bouteille.

« Champagne ! » dit-il.

Bernadette a arrêté la voiture sur le bas-côté de la route. Elle n'avait pas encore parlé. Ni moi! De toute façon, je savais ce qu'elle me dirait : j'étais prête et cela ne changerait rien.

Nous avons sorti la glacière, et sommes descendues vers l'Oise par le « chemin des pêcheurs ». On sentait la présence de l'eau comme une respiration légère. C'était par là qu'autrefois nous venions en cachette pêcher l'écrevisse à la lanterne.

Nous avons tout vidé. Ce n'était plus que du lait, du sucre, des parfums qui ne tenaient plus ensemble et foutaient le camp partout avec des odeurs écœurantes. Il en est tombé sur l'herbe, et un peu sur mon pantalon. Demain, les promeneurs auraient intérêt à regarder où ils mettraient leurs pieds. Ils penseraient : « Encore un qui a trop fait la fête! » La fête...

Il faisait froid. Bernadette a mis le contact pour le chauffage mais elle n'a pas démarré.

« Laisse tomber, a-t-elle dit. Ce mec est dangereux. Il te fera du mal. Je ne peux pas te dire ni pourquoi ni comment, mais ça se sent à des kilomètres. Un beau paquet qui fait tic tac et qui va t'exploser à la gueule.

– Je l'aime. »

Elle a secoué la tête.

« Ça ne s'appelle pas comme ça. C'est le premier garçon qui te fait du gringue, il est très beau et tu avais envie que ça t'arrive. En plus, il est désespéré, ce qui n'a rien pour te déplaire, tu me pardonneras. Avec toi, le désespoir, ça a toujours fait tilt. Tu aurais dû t'appeler saint Bernard.

– Il n'a personne. Je ne peux pas le lâcher.

– Tu vois bien! Et si tu te demandais pourquoi il n'a personne. Un père et une mère, ça a dû lui arriver comme aux autres? Et apparemment, ils lui ont payé des études : il sait parler et se tenir. Mettons qu'ils l'aient largué, il reste les amis.

– Ils ne le comprennent pas. »

Bernadette s'est tue un moment. J'essayais de retrouver Tanguy, celui que j'avais poussé sur la balançoire, pas celui qui nous avait obligés à boire du champagne pour célébrer la mort de sa pièce, de son espoir.

« Si tu refuses de parler le langage des autres, de te mettre un peu à leur place. Si tu leur parles en langue étrangère, comment veux-tu qu'ils te comprennent? Est-ce que je peux te dire ce que j'ai ressenti? »

Je n'ai pas pu répondre : j'avais trop peur pour mon amour.

« Les gens, il les hait. Quand il parle de la guerre, on a l'impression qu'il la souhaite : « Je crève, alors « crevez tous avec moi. »

J'ai protesté :

« Ce n'est qu'une pièce de théâtre! Il se sent seul, c'est tout! Il a besoin de rencontrer quelqu'un.

– Et ce quelqu'un s'appellera Cécile Moreau, je suppose? »

Je l'ai revu devant moi, ses yeux dans les miens : « Je n'en avais jamais rencontré une pareille...

– Peut-être.

– Parles-en aux parents.

– Impossible. Je ne pourrai jamais.

– Alors promets-moi au moins une chose : fais gaffe! Aime-le si tu veux, mais à distance. Et si tu as des problèmes, appelle. »

« Appelle... » Je n'ai pas dit à Bernadette qu'en un sens, depuis une semaine, j'avais l'impression d'appeler, en vain. Mais on peut appeler tout bas, exprès, pour ne pas être entendu, parce qu'on redoute la réponse. J'ai revu Missile voltigeant dans l'air; et le regard de Tanguy, quand il vous efface, que l'on ne compte plus. On peut appeler en se mettant un bâillon.

Je n'ai pas non plus dit à ma sœur, quand nous sommes arrivées devant *La Marette* éclairée, à l'intérieur de laquelle on entendait comme battre un cœur, que, pour la première fois, ici, je me sentais un peu étrangère. « Il te fera mal », avait dit Bernadette. Il me faisait mal déjà : un grand coup de botte dans mon bonheur. « De quel côté, pour toi, est la prison ? »

Stéphane faisait dîner Mono et Zygote à la cuisine. Bernadette est allée droit vers lui et elle l'a embrassé. « Tu sais que je t'aime bien, tout compte fait ? »... C'est bon, les chagrins d'amour des autres, ça vous redore votre bonheur à vous! Les jumelles regardaient leur mère comme si c'était le bon Dieu. Notre mère à nous nous a offert son plus beau sourire.

« Alors, les filles. Ça a marché, le commerce? »
Bernadette a ouvert la glacière.
« On a tout bazardé! »

CHAPITRE XXI

UNE QUESTION D'ENFANT MAL AIMÉ

Et soudain, Benjamin lâche tout et galope. Il était en train de dresser une fortification autour de Gaillard : décidément, nous avons engendré un architecte en herbe; ça manquait à la famille! En deux heures, il a transporté quasiment tout le tas de sable près de son pêcher, seau par seau, aidé par les jumelles et Gabriel qui n'ont pas compris qu'ils travaillaient contre leurs intérêts. Si leur cousin élève ce mur autour de son arbre, c'est pour qu'ils ne s'en approchent pas. Il veut bien qu'on l'admire, mais de loin. « Ce sera aussi pour ses nombreux ennemis », a-t-il expliqué gravement à papa.

Par la fenêtre du salon, où nous prenons tous le café après avoir dégusté gigot et ratatouille décongelés d'hier – tout s'arrange avec un peu de bonne volonté –, je vois mon neveu galoper vers la grille. Il disparaît. Changeons de fenêtre. Une voiture de sport entre. Je me tourne vers la famille.

« Les amis, voilà Paul! » dis-je.

D'un seul coup, c'est le silence. Bernadette m'a déjà rejointe.

« Il est seul? souffle Claire.

– Penses-tu. Il est avec toutes ses conquêtes...

répond Bernadette. Il a décidé de nous les présenter. »

Elle se tourne vers papa qui se bourre une pipe en vitesse.

« Inutile de paniquer! Il n'est pas encore là : Benjamin s'en occupe. »

Le gamin a sauté dans les bras de son père qu'il étreint de toutes ses forces comme s'il voulait entrer en lui. Paul a lâché sa canne pour l'y aider.

« Acte trois, murmure ma sœur à mon oreille. Retour du coupable. Je te l'avais dit qu'il fallait laisser venir les choses. »

Paul a réussi à détacher son fils de lui. Il le pose sur le sol. Benjamin récupère la canne, la tend à son père, s'empare de sa main et le tire. Ils disparaissent. Repassons fenêtre côté jardin. Ce sont les présentations solennelles de Gaillard. Mon beau-frère a maintenant les quatre enfants suspendus à son cou : il chancelle.

« Il ne s'en tirera jamais tout seul, remarque en riant Antoine, venu lui aussi au spectacle. Je vais à la rescousse. »

Stéphane lui emboîte le pas. Discrétion? Ou parce que l'air se raréfie singulièrement au salon. La « Princesse » qui n'a jamais aimé les vagues nous regarde avec angoisse.

« Mais qu'est-ce qu'on va lui dire?

– On va lui demander s'il a déjeuné, répond maman le plus calmement du monde. Il reste du gigot. »

... Il n'a pas déjeuné. Il est parti dès l'aube de Saint-Tropez et il a fait la route d'une traite. Il pensait que, peut-être, Pauline était rentrée, qu'elle passait le week-end avec nous...

Maman a posé un plateau garni devant lui, sur la table basse. Il parle d'une voix sourde, tendue.

Bernadette avait raison : l'amour est là! On le sent autour de lui comme une brume d'angoisse. Assis sur ses genoux, Benjamin ne le quitte pas des yeux : quand Paul avale, lui aussi déglutit. On a l'impression qu'il cherche à se nourrir avec lui, ou de lui.

« Alors, aucune nouvelle? demande Paul.

– Pas pour le moment », répond ma mère.

Et elle ajoute :

« Avec ce reportage, Pauline est certainement très occupée. »

Elle a l'air sincèrement désolée. Elle l'est! Elle n'aime pas voir souffrir, qu'on l'ait ou non mérité. Inutile de chercher d'où je tiens mon côté « saint-Bernard ». Ajoutez-y un père médecin qui refuse à l'avance de se défendre au cas où on viendrait l'attaquer...

Il ne dit rien, mon père. Pour l'hypocrisie, les mots à côté, le dissimulé, les hommes sont moins rodés que les femmes. Heureusement qu'il y a Benjamin pour remplir les silences : Pappy, la mer, un lac, sa maison... tout défile.

« Et toi, ce tournage? demande Bernadette à Paul. C'était bien? »

Papa se tourne vers elle, l'air inquiet. Mais sa voix à elle aussi était posée et son visage ne reflète rien. Paul la regarde quelques secondes avant de répondre, se demandant ce qu'elle sait, si Pauline nous a dit. Ce que tu n'as pas encore compris, mon vieux Paul, c'est qu'ici, on n'a pas besoin de « dire », on devine. Vingt ans de vie commune, ça aiguise les antennes.

« Un tournage finit toujours par être lassant », dit-il.

Je devine les mots que refoule Bernadette : « Et une aventure? »

« Enfin, vous êtes content du résultat? interroge vite maman. Je veux dire, satisfait du film?

– Je n'ai vu que les rushes, dit Paul. Cela ne m'a pas paru mal. En tout cas, c'est fidèle à mon livre. »

« Fidèle! Un mot qu'il aurait mieux fait d'éviter. Le froid passe. A la fenêtre, nous tournant le dos, Antoine regarde le jardin. Que voit-il? Il se tient très raide. Comme cela parle, les épaules d'un homme! J'y lis que sa mère l'a laissé tomber quand il était gamin et que lui aussi, lorsqu'il s'agit d'amour, d'abandon, il a les antennes aiguisées.

Paul repousse son assiette. Il n'a presque rien mangé mais il paraît que les kilomètres, ça nourrit. Par contre, il est d'accord pour un double café.

« Ce reportage avec Béa, demande-t-il après avoir enfoncé un " canard " dans le bec grand ouvert de Benjamin, je n'ai pas très bien compris sur quoi il portait?

– Une question d'enfant mal aimé », dis-je.

C'est venu malgré moi. Je n'ai pas pu le retenir. Tant pis si les parents sont soufflés, si Bernadette me foudroie, si Paul attend une suite que je n'ai pas l'intention de lui donner. Mais j'ai eu envie de prononcer au moins trois mots vrais. Parce que c'est insupportable, ce qui se passe, ici! Cette conversation qui sonne faux, cette comédie. Puisque tout le monde est au courant, à quoi sert de tricher? Par politesse, bonne éducation ou par lâcheté? Pauline a fichu le camp parce que tu la trompes, mon vieux. Nous regardons se défaire une maison qui était un peu la nôtre. Qu'est-ce qu'on fait?

« Un enfant mal aimé? répète Paul.

– Et sans doute maltraité, dis-je. Ça n'a rien d'original. Il paraît qu'il y en a tous les jours des dizaines. Suite dans l'article de ta femme. »

Le « ta femme », c'était exprès. Ça ne peut pas lui faire de mal. J'ai même l'impression que ça lui fait du bien.

« Et personne ne sait où ça se passe? » demande-t-il.

Il n'a jamais insisté comme ça. Pas le genre. On le sent à bout. De quoi? Ses yeux sont bordés de rouge. Soudain, sur les lèvres, j'ai une rangée de chiffres : la tonalité, c'est le seize. Ensuite, vous faites le quatre-vingt-quatre, puis cinq numéros et ça y est! Au bout, la voix de Pauline, sa femme, ma sœur, la fille numéro trois de ce couple qui a l'air si désemparé, malheureux.

« Non, personne ne sait rien », dit Bernadette fermement.

Je ravale mon opération. Il y a encore un an, je déballais tout. Mais j'ai mûri. Je sais maintenant mentir et tricher comme tout le monde. Est-ce pour cela que je me sens en prison? Tanguy a raison : on y est tous. On est son propre geôlier. Tanguy! A quelques kilomètres d'ici, dans la ville nouvelle, il y a une scène vide, des rangées de chaises inoccupées, l'obscurité, le silence. Et lui? Où est-il? Dans quel coin est-il allé souffrir?

Je me lève et quitte le salon. Bernadette me rejoint dans l'entrée où j'enfile mon anorak.

« On fait un tour? Bonne idée! On ne respire plus dans cette baraque. Où on va? »

Nous n'irons pas chez Tanguy! Nous marcherons dans la forêt pleine de silence ruisselant : un grand feu éteint. Moi, ce n'est pas à des cathédrales que les forêts me font penser l'hiver mais à des cimetières : elles vous tirent par les pieds avec leurs couches de feuilles qui se comptent en années, elles n'arrêtent pas de vous répéter qu'elles auront encore des printemps quand vous n'en aurez plus.

Apparemment, ce n'est pas ce que la nôtre raconte à Bernadette qui, tête rejetée en arrière, yeux fermés, bouche et narines ouvertes, la boit du plus profond qu'elle peut.

« Tu comprends, ça aurait été trop facile de tout déballer comme ça. N'oublie pas que c'est Pauline qui doit décider, pas lui! Lui, même s'il déguste, il n'a que ce qu'il mérite.

– Tu en as parlé à Stéphane? »

Elle me regarde d'un air surpris.

« Evidemment! Je lui raconte " tout " à Stéphane, même quand j'ai envie de l'étrangler. Sinon, pas la peine de vivre ensemble. Et puis ça m'intéressait d'avoir son avis au cas où ça nous arriverait.

– Et alors?

– Le tragique, pour lui, c'est de prendre ça au tragique. »

Elle rit.

« Je lui ai dit : « Alors, si moi je te trompais, tu ne « le prendrais pas au tragique? » Tu sais ce qu'il m'a répondu?

– Je ne vais pas tarder à le savoir.

– Il m'a dit : « Ne le fais pas. Ne le fais pas, mon « amour... »

Plus de rire dans sa voix. Autre chose... la fierté?

La nuit est tombée quand nous rentrons : une nuit pas tout à fait pareille aux autres : nuit de dimanche. La voiture de Paul est toujours là. Tandis que nous retirons nos bottes dans l'entrée, Claire nous rejoint.

« Les parents ont fait un tour de pommiers avec Paul : une heure et des poussières. Ils étaient tellement glacés en rentrant qu'on a dû les réanimer au rhum. »

Le « tour de pommiers », c'est une spécialité de grand-mère. Quand elle a quelque chose à dire, ou à extorquer à quelqu'un, elle propose toujours une petite promenade dans le verger. On sait ce que cela veut dire. On y est tous passés. C'est resté dans les mœurs familiales.

« En tout cas, conclut Claire, pour l'ambiance, c'est en progrès! »

Boissons et jeux divers au salon. Les enfants jouent à la poupée. Gabriel est la mère, ses cousines sont les oncles, la maison, c'est sous la table avec sa nappe qui frôle le sol, les pieds des sièges, c'est la forêt, les adultes ici présents sont des animaux féroces. Je m'installe près de la maison sur laquelle je pose ma tasse de thé. Gare aux petits enfants tendres et fondants qui s'aventureraient de mon côté : qu'on se le dise!

Avec le thé de Chine, c'est le miel de sapin qui se marie le mieux. Tout un voyage! Paul vient s'asseoir à mes côtés. Lui, c'est un grog.

« Merci pour Gaillard, dit-il. Tu as eu là une sacrée idée!

– Ça m'a paru utile! Questions racines. A propos, ton fils, qu'est-ce que tu en fais? Tu nous le laisses?

– Encore quelques jours si tu es d'accord. Moi, les gosses, je ne suis pas très organisé! Et Pauline finira bien par revenir, n'est-ce pas? »

Il me supplie de dire « oui »; il ne me demande pas de lui dévoiler ce que je sais, il ne me demande qu'un peu d'espoir. Et au fond de ses yeux, c'est noir, ça crie, un peu comme au fond des yeux de Tanguy. Et dans ma gorge, miel de sapin ou pas, ça ne passe plus. Sophie-Zygote, qui s'est aventurée sous ma chaise, est à deux doigts d'être étripée; il faut voir comme elle file.

« Un reportage aussi, ça doit finir par lasser, dis-je. Tu as prévenu Benjamin qu'il ne repartait pas avec toi?

– Pas encore. »

Il se lève.

« Je vais le faire. Tu sais où il est? »

Je frappe sur la table.

« Là-dessous, je suppose. »

Si Gabriel est la mère et les jumelles les oncles, il doit être le père ou le fils. Je soulève la nappe lorsque la porte du salon s'ouvre et l'intéressé apparaît.

Il a mis son anorak et, pendant qu'il y était, son passe-montagne. Il a dû l'enfiler par les pieds : on ne voit qu'un demi-visage et c'est à peine s'il peut respirer. Il tire derrière lui son gros sac de voyage bourré à craquer : vêtements, livres, jouets, il en sort de partout. Il passe sans les regarder entre les « animaux féroces » soudain paralysés, s'approche de son père, vient se caler entre ses genoux, et le fixe de son œil unique comme s'il avait très bien compris qu'il s'apprêtait à partir sans lui.

« Quand est-ce qu'on rentre à la maison? demande-t-il. Moi, je veux voir ma maman. »

CHAPITRE XXII

FIDÉLITÉ ÉTERNELLE

J'AI dit à Pauline que son fils avait besoin d'elle; Paul aussi! Il était venu cet après-midi dans l'espoir de la trouver. Je lui ai décrit sa voix, ses yeux qui avaient changé de couleur et toute cette solitude que l'on sentait autour de lui, ce désespoir. Maintenant, je pouvais juger! Quand quelqu'un compte beaucoup pour vous et qu'il n'est pas là, vous êtes perdue parmi les autres. Ils n'y peuvent rien : ce n'est pas eux qui vous lâchent, c'est la partie de vous-même que ce quelqu'un vous a volée.

J'étais dans le salon où le feu se mourait comme ce dimanche particulier qui, dans une demi-heure, aurait basculé dans lundi. Le jeu de cartes, sur la table de bridge, c'était la patience que Claire n'avait pas terminée : les petits avaient semé des jouets partout; les cendriers débordaient. On rangerait tout ça demain avec maman.

Avant de monter se coucher, papa avait repoussé les braises et étendu le pare-feu. Ce sont des gestes qui font du bien : on les faisait aussi quand ça allait : on les fera encore, quand ça ira; ils sont inscrits sur toutes les pages.

J'ai demandé à ma sœur d'imaginer ses deux hommes à Paris : Paul avec sa jambe à la traîne,

Benjamin courant vers la chambre, espérant y trouver quelqu'un à appeler « maman ». Ils sont comme ça, les petits : à force d'imaginer, ils croient au miracle, comme pour les pêches en un seul jour d'hiver sorties d'une tige de rien du tout. De Gaillard, je ne lui ai pas parlé : il me semblait qu'elle ne le méritait pas.

« Paul avait vraiment l'air triste? a-t-elle demandé quand j'ai eu terminé. Tu ne dis pas ça pour me faire plaisir?

– Il avait le cœur dans le même état que sa jambe, ai-je dit. Handicapé à vie. Tu peux te réjouir. »

Cela se voyait si fort que j'avais failli lui lâcher le morceau. Bernadette m'en avait empêchée. C'était, paraît-il, à Pauline de jouer : qu'est-ce qu'elle décidait?

« Attends deux minutes. »

Elle a posé l'appareil, et je l'ai entendue s'éloigner. Il m'a semblé entendre aussi des voix. Béa? Si elle lui demandait conseil, je pouvais aller me coucher.

« J'attends encore un peu. Et puis le travail, c'est le travail. On a une chance de voir Fabrice cette semaine.

– Tu t'intéresses plus à Fabrice qu'à ton fils.

– Ça n'a rien à voir. »

Je lui ai fait remarquer que, pour un écrivain, elle manquait vraiment d'imagination, et j'ai raccroché. C'est à ce moment-là que mon père est entré.

« Qui appelais-tu? »

Il ne m'avait pas posé cette question avec colère, reproche ou soupçon, ce qu'on peut attendre d'un père à qui on a caché quelque chose d'important; seulement avec une très grande fatigue. Je pouvais la lire aussi dans ses yeux. Eux, ce n'était pas la douleur qui les avait pâlis, c'était l'âge. Cette fatigue, son pyjama tirebouchonné et, dans ses mules, ses pieds dont on voyait bien qu'ils commençaient eux aussi à le lâcher; ajoutez cette salope de Béa qui, parce qu'elle n'a pas de famille s'emploie à saboter celle des autres, je n'ai pas eu la force de mentir.

« J'appelais Pauline. »

Il est tombé à côté de moi sur le canapé.

« Cet après-midi, j'avais bien compris que tu savais quelque chose. »

J'ai acquiescé. Il sentait la pâte à dents. La salle de bain est au-dessus du salon; il avait dû m'entendre de là.

« J'avais promis de la boucler. »

Il a mis la main sur mon épaule.

« Si nous voulons aider un peu ta sœur, ne crois-tu pas qu'il serait préférable d'avoir tous les éléments en main?

– Absolument. »

Je l'ai regardé dans les yeux.

« Qu'est-ce que vous vous êtes raconté avec Paul, cet après-midi? »

Il a eu un sourire. Il s'est levé.

« Viens! »

L'heure n'était pas favorable à un « tour de pommiers », c'est dans la chambre conjugale qu'il m'a emmenée. Maman était couchée, emmitouflée dans son vieux chandail parce qu'on chauffe très peu la nuit : meilleur pour la santé, le porte-monnaie et les dents : l'eau glacée du matin dans la bouche, indique s'il y a problème. Mon père a pris place à côté de sa femme sans entrer dans les draps, ce que j'ai apprécié. Je me suis personnellement assise au bout du lit.

« Ce lit, ai-je demandé. Il doit avoir une trentaine d'années environ?

– Exact, a dit papa. Ta grand-mère nous l'avait offert en cadeau de noces. En précisant qu'elle

138

l'avait fait faire sur mesure pour que nous puissions rester ensemble même en cas de maladie. »

J'étais née en juillet : on part rarement en vacances en novembre. Selon toutes probabilités, j'avais donc été conçue là où j'étais assise ce soir. J'ai regardé mon siège d'un autre œil.

« Et le matelas, vous l'avez changé ? »

Maman semblait complètement interloquée; son regard passait de son mari à moi. Etions-nous venus là, à presque minuit, pour discuter literie ?

« Cécile sait où se trouve Pauline », a expliqué Papa.

Il s'est tourné vers moi.

« En ce qui concerne Paul, nous lui avons dit que nous étions au courant de son aventure avec cette actrice. Nous lui avons dit aussi que, selon nous, Pauline n'était pas partie définitivement mais parce que la souffrance était trop forte. »

Maman s'est détournée, mais j'avais eu le temps de voir les larmes dans ses yeux. S'il y a une chose que je ne supporte pas, c'est de voir ma mère pleurer : je prends cent ans d'un coup. Est-ce qu'un jour, il faudra que ça soit moi qui console ? Je pourrais peut-être aussi la protéger pendant que j'y serai ! Etre une mère pour ma mère !

« Et Paul a dit quoi ?

— Que c'était terminé avec cette fille.

— Jusqu'à la prochaine ?

— Nous n'avons pas à lui demander de comptes.

— Qu'est-ce qu'il a dit d'autre ?

— Qu'il aimait ta sœur. Qu'elle était... son seul avenir ! »

J'ai revu les yeux rouges de Paul et sa douleur contenue. Comme une tempête qui pouvait l'emporter. Son seul avenir ?

« Alors, nous avons essayé de lui faire comprendre que s'il voyait son avenir avec elle, il ferait mieux de ne pas tout faire pour le saborder, a dit papa. Et que lorsqu'on aime quelqu'un, on évite de le faire souffrir. »

Sa voix m'a fait du bien : celle d'un homme qui, lui, savait aimer vraiment. Il a posé la main sur le drap et j'ai remarqué qu'il serrait la main cachée de ma mère.

« Il serait quand même temps que vous vous mettiez quelque chose dans la tête, ai-je dit. Amour ou non, de nos jours, cet avenir dure à peu près un demi-siècle, alors, la fidélité...

– Elle doit pourtant rester un but », a dit ma mère.

J'ai eu l'impression de grandir. C'était fort.

« Je peux vous demander quelque chose pendant qu'on est dans le sujet? »

Papa a échangé un regard avec maman et ils ont tous les deux tendu le dos.

« Vas-y!

– Est-ce vrai que les hommes ont plus besoin de faire l'amour que les femmes? »

Soudain, j'avais revu Tanguy quand il avait approché ses lèvres des miennes en respirant plus fort. J'avais senti comme une violence, un ordre de son corps vers le mien, quelque chose d'impératif et qui le dépassait. Et moi qui devenais un vrai loukoum. J'avais eu peur. Je m'étais levée.

« Je crois qu'en effet, dans la majorité des cas, a dit mon père, ce besoin est à la fois plus violent et plus fréquent chez les hommes que chez les femmes. »

Une chaleur s'est répandue en moi. J'aimais qu'ils soient ainsi, les hommes, forts et fragiles devant la vie, appelés par elle, vers nous. Je me suis sentie précieuse.

« Et Pauline? a demandé mon père à voix basse.

Tu n'es pas obligée de nous dire où elle est; mais comment va-t-elle? »

J'ai tout déballé : sa lettre, le lac, la télévision, Fabrice, les coups de téléphone. Maman questionnait comme une affamée : qu'est-ce que sa fille ressentait, faisait, mangeait? Je me suis excusée de ne pas pouvoir lui donner le détail des menus mais, apparemment, elle survivait; elle s'intéressait à Fabrice ce qui était bon signe.

« Elle ferait mieux de s'intéresser à Benjamin, ai-je remarqué. Si elle ne rentre pas pour Paul, au moins qu'elle rentre pour son fils. C'est pour ça que je l'ai appelée.

– Cela ne servirait à rien à Benjamin que sa mère rentre contre son gré, a remarqué papa. Pour qu'il se sente bien, il faut qu'elle se sente bien, elle. Et Paul aussi!

– Je crois que j'ai compris ça », ai-je dit.

Ils m'ont promis de ne rien entreprendre sans en discuter avec moi. Et que je ne considère pas que j'avais trahi ma sœur. Parfois, on demande aux autres de garder des secrets sans le désirer tout à fait; ce sont des appels dissimulés.

Je ne considérais rien. Quand on trahit, on ne se sent pas légère comme ça! Peut-être, en effet, en me recommandant le silence, Pauline appelait-elle tout le monde à la rescousse. J'appelais bien, moi aussi, pour Tanguy. Mais si bas que personne n'entendait.

Ils avaient l'air complètement anéantis par leur journée. Je leur ai souhaité une bonne nuit puis je suis sortie. A mi-étage, je n'ai pas pu m'empêcher de redescendre, et j'ai passé la tête chez eux pour voir si tout se passait bien.

Le docteur était déjà sous les draps. Sa femme avait éteint sa lampe, pas lui! Elle reposait sur son épaule et tous les deux ensemble, ils détaillaient le plafond.

« Pour la fidélité éternelle, pas de regrets? » ai-je demandé.

J'ai vite disparu avant de me faire étriper. En m'endormant, ce soir-là, je me demandais si je pourrais un jour faire l'amour dans le lit où j'avais été conçue sans me sentir une criminelle. Pas sûr! Pourtant, en un sens, tentant! Perversité?

CHAPITRE XXIII

DESSINER LE SOLEIL

Et puis on doit ouvrir les yeux, quitter la chaleur du lit, tâtonner jusqu'aux volets et recevoir lundi en pleine gueule, avec son vent de film noir sur un jardin en larmes.

Hier encore, juste à côté, s'éveillait un petit garçon à qui il fallait donner confiance; alors, pour lui, on chantait, d'abord un peu faux, puis ça venait. Il reste une chambre vide, des jouets oubliés et, sur le tableau noir, un dessin avec une maison, un soleil et un arbre dans lequel cette boule ronde pourrait bien être une pêche. Il est doué, Benjamin!

« Faudra que je te parle », chuchote Mélodie.

Notre salle de classe est couronnée de néons sinistres; encore quatre mois à patienter avant de pouvoir travailler à la lumière du jour! Seize filles et cinq garçons penchés sur des feuilles : interrogation de droit. Langue tirée, Mélodie remplit sa page : elle aura une bonne note. Je regarde ma feuille : c'est moi qui ai choisi de venir là et maintenant je me demande... Des mots, des phrases, de l'encre et du papier; et pendant ce temps, tout près, à quelques tours de roue, croît une souffrance, se répand une solitude.

Midi, au café avec Mélodie. Nous avons commandé deux croque-monsieur; le meilleur, c'est le cœur. A la table voisine, des types blaguent : eux, ce serait les deux demoiselles qu'ils croqueraient bien! Contrairement à son habitude, Mélodie ne participe pas.

« Tu sais ce qui s'est passé hier?

— J'attends que tu me l'apprennes.

— Un début d'incendie dans la salle de théâtre. Les pompiers sont arrivés juste à temps. C'était dans le journal ce matin : mon père me l'a montré. »

Mélodie guette ma réaction. Nous avons toutes les deux le même nom sur les lèvres : Tanguy.

« Ça peut être un mégot, dit-elle. Faut pas exagérer. " Incendie criminel "... On n'est pas obligées de voir forcément le pire.

— A quelle heure ça s'est passé?

— Hier après-midi. »

Je marchais avec ma sœur dans la forêt. J'avais senti que Tanguy m'appelait; mais ça m'avait arrangée, finalement, que Bernadette m'empêche d'y aller. Hier après-midi, il aurait dû être sur scène : la salle était à lui; mais cette fois-là, c'étaient les copains qui l'avaient lâché. Comme moi!

« Tu te souviens, dis-je. Quand on cherchait un délinquant, ce qu'on pouvait être bêtes! »

... On croyait que ça se lisait sur la figure et qu'on n'aurait qu'à se montrer. Mélodie a un petit sourire.

« Ce matin, dit-elle, pendant le cours, je me demandais ce que je faisais là!

— Moi aussi, figure-toi. »

Elle me regarde, surprise, soulagée.

« Passer à l'action, je ne sais pas si je saurai. " Point noir " a peut-être raison! On a été trop couvées; on se fera jamais au froid! Moi, ce que j'aime, c'est étudier. »

Je ris :

« Moi, c'est tout le contraire. J'ai envie d'aller sur le terrain. J'ai l'impression que ce qu'on apprend, ça ne servira à rien. Pendant ce temps, partout, ça saigne.

— Le sang, reconnaît Mélodie, ça m'a toujours coupé l'appétit. »

Autour des « flippers », il y a foule. Uniquement des garçons. Ils s'amusent beaucoup. Ils rient de toute leur poitrine, comme des enfants. Pas de problème! Je revois, sur le tableau noir, le dessin de Benjamin : la maison, le soleil, l'arbre, le fruit. J'ai pris la craie de couleur, je lui ai montré comment on faisait des rideaux aux fenêtres et, sur le toit, une cheminée avec de la fumée. Il était content. Un jour, il se dessinera à côté de sa maison, et alors il pourra passer à autre chose.

Je vois Tanguy sur scène, criant pour lui seul.

« Ton croque-monsieur, tu le finis pas, demande Mélodie.

— Prends-le. J'en ai assez! »

Je paie ma part, et je me lève.

« Mais où tu vas? Ce n'est pas l'heure. On a encore du temps. »

Du temps? Pas sûr. On peut dessiner des maisons sans fenêtres, des ciels vides, des arbres morts. Les gens les regardent et se mettent à siffler. Alors on y fout le feu. C'est aussi clair que ça. J'y vais!

CHAPITRE XXIV

SE PENCHER SUR LES PUITS

Il dort. La porte n'était pas fermée à clef, je n'ai eu qu'à la pousser : quoi qu'il ait fait, il ne cherche pas à se cacher.

Il dort en boule, les poings sous le menton, désarmé, comme s'il était tombé, avec ses bottes et son blouson. La chambre est sale et sent le vin. On dirait que les objets ont été repoussés contre le mur à coups de balai. Au creux d'un chandail, près du radiateur, deux fentes lumineuses braquées sur moi : Missile.

« Aime-le si tu veux, mais de loin », a recommandé Bernadette. Alors, ce n'est pas aimer, c'est rêver! Je le regarde et je ne sais plus. C'était facile quand il jouait : long, blond, beau et passionné. C'était facile, à *La Marette*, avec mes murs bien solides autour de moi. Nous voilà vraiment face à face : lui sans décors et moi sans « lunettes roses ». « Mets tes lunettes roses », disait grand-mère quand j'étais petite et que ça n'allait pas.

Je me laisse glisser contre le mur, sur un coussin. Grand-mère... Dans son jardin, en Bourgogne, il y avait un puits qui me faisait très peur. Je me penchais sur la margelle, et j'y laissais tomber des cailloux. Je tombais avec eux. C'était long avant de rencontrer l'eau. Pourquoi ce puits m'apparaît-il maintenant?

Je prends un livre, un grand, relié rouge et or avec des illustrations : *Les Cinq Sous de Lavarède.* Sur la première page, une main enfantine a écrit un nom et une adresse : Tanguy Lefloch, à Conflans-Sainte-Honorine. Quelquefois, nous allons y faire le marché : il étale ses couleurs, ses odeurs et sa rumeur près de l'eau où les péniches, côte à côte, forment comme un village mouvant. M. et Mme Lefloch... « Il a eu des parents comme tout le monde », a dit Bernadette. Pourquoi n'en parle-t-il jamais? Que lui ont-ils fait?

Je remets le livre en place et regarde les objets : plusieurs postes de radio, un vase, des coffrets, des...

« On fait l'inventaire? » demande Tanguy.

Mon cœur a bondi. Il a juste ouvert les yeux et me fixe d'un air ironique.

« L'inventaire de toi!

— Et qu'est-ce que ça donne?

— Quand tu dors, tu es jeune. »

Il referme les yeux :

« Je ne me souviens pas de t'avoir invitée.

— Je ne t'avais pas invité quand tu es venu à *La Marette.* »

Il se redresse sur un coude et se met à rire. Je n'aime pas son rire.

« On ne m'invite jamais, dit-il. Je ne suis pas présentable. »

Il se penche, attrape une bouteille de vin, en boit une gorgée au goulot, me la tend. Je fais « non ». Il la repose. Je l'aimais et maintenant je ne sens plus rien.

« Le feu, hier, au théâtre, c'était toi?

— Quel feu? demande-t-il. Quel théâtre? »

Je montre les objets.

« Et tout ça? D'où ça vient? »

Il continue à sourire sans répondre. On dirait que l'accusée, c'est moi.

« Et la montre que tu avais l'autre jour dans ta poche? La petite ronde... »

C'est la question la plus importante, avec une autre que je n'ose pas poser : « Etais-tu seul? Es-tu capable de torturer? »

« Après l'inventaire, l'interrogatoire! dit-il. Suis-je encore libre de mes mouvements? »

Je murmure :

« Pourquoi?

– Pourquoi es-tu une petite fille bien sage qui n'a jamais rien volé de sa vie? »

Son sourire s'est effacé et sa voix est glacée : cette petite fille, il la méprise.

« Et moi? Je peux te poser une question? »

J'acquiesce.

« Pourquoi es-tu venue m'emmerder? »

Je me tourne vers la fenêtre. Il y a un peu de soleil mais il ne sert qu'à montrer que les carreaux sont dégueulasses.

« Je t'imaginais... tout seul. »

Je me lève, attrape un vieux chiffon dans sa cour des miracles et vais le passer sur le carreau : ça sera au moins ça que j'aurai fait pour lui : il y verra un peu moins sombre. Après, « adieu », puisque je l'emmerde.

Missile est sorti de son chandail; il s'étire : tribord, bâbord. S'il continue à vivre ici, c'est qu'on y est pas si mauvais pour lui! Qu'on le nourrit et, parfois, le caresse. Pas maso, les chats! D'après mon père, les seuls animaux qui ont appris à exploiter l'homme. On pourrait dessiner des romans entiers sur la crasse de cette fenêtre : de la série noire.

« Viens là », dit Tanguy.

Sa voix n'est plus la même. Il s'est assis et montre

la place à côté de lui. Je termine mes coins, laisse tomber mon chiffon et m'approche. Hier, j'avais peur d'aller chez lui; j'avais peur tout à l'heure, sur ma Mobylette. C'est fini! La peur, c'est avant et après, pas pendant. Je m'assois sur le matelas, adossée au mur comme lui. Et alors il a un mouvement qui me bouleverse : il incline la tête et la pose sur mon épaule; il est l'enfant que j'ai surpris dans son sommeil. Je passe mon bras autour de lui : je suis la mère de cet enfant.

« Reste, murmure-t-il. Ne rentre pas dans ta belle maison. Ne retourne pas avec les autres : reste avec moi! »

C'est comme si, dans ma poitrine, quelque chose se bloquait. Rester? Mais je ne peux pas et il le sait bien! Pourquoi me demande-t-il ça?

Je pose ma joue sur ses cheveux :

« Toi, viens à la maison; il y a plein de place. On t'aidera. Je suis sûre que mes parents...

– Ta gueule. »

Il se redresse et me repousse. Je n'ose plus regarder son visage. Je viens de refuser d'être l'*Autre* pour lui. Mais je comprends enfin. Ce qu'il demande à celui qu'il cherchait en vain dans sa pièce, qu'il ne peut trouver dans la vie, c'est de partager sa maison sans fenêtres, son arbre mort et son ciel vide. Et tout ce que je lui offrirai, il ne pourra jamais le prendre puisqu'il est enfermé dans sa maison tout comme moi dans la mienne : « ta belle maison ». Il n'y a pas de chemin entre elles.

Il se lève, me tourne le dos, fait quelques pas. Il n'a pas dit un mot depuis que j'ai refusé de rester. Bernadette avait raison : je n'aurais jamais dû venir; mais pas pour me protéger, pour ne pas lui faire de mal.

Je me lève à mon tour et me dirige vers la porte. Il me rejoint et me prend le bras.

« Non, dit-il. Ce serait trop facile! »

Il me tire et me rejette sur le lit. La peur, c'est aussi « pendant ». Il ne semble plus savoir ce qu'il fait, ni qui il est, ni qui je suis.

« Trop facile, répète-t-il. Vraiment trop facile. »

Son visage touche le mien et je sens son haleine.

« Tu viens. Tu touilles un peu, pas de trop près pour ne pas te salir; tu regardes ce qui sort et après tu rentres chez toi et tu mets ça sur du papier, c'est ça? Ta copine m'a raconté ce que vous faisiez. C'étaient les travaux pratiques, aujourd'hui?

– Mais non, dis-je. Non! »

Il a pris mes deux bras et me colle au mur; il me fait mal.

« Est-ce que je t'ai demandé de venir? Est-ce que je t'ai couru après, moi? Je n'avais pas besoin de toi. »

C'est le désespoir dans ses yeux. Il a raison. Je suis venue, avec ma bonne petite vie et ma conscience tranquille, j'ai remué, j'ai éveillé en lui quelque chose à quoi je ne peux répondre, je lui ai tendu ce qu'il ne peut saisir. Quand il m'a dit « reste », il appelait au secours. La seule façon de l'aider aurait été d'accepter et d'essayer de le tirer, mais ça, pas question!

« On vient, on repart. Qu'est-ce qui se passe? Je ne te plais plus? Ça aussi, c'était de loin? »

C'était de loin! Quand il était sur scène, que je le trouvais beau et qu'il parlait si bien, si bas et si fort à la fois. Quand, sur la glace de ma chambre, j'appuyais mes lèvres en rêvant aux siennes. Et c'était encore de loin, tout à l'heure, dans l'escalier, lorsque je me suis recoiffée pour lui plaire. Et je ne l'ai pas volé, ce moment où soudain il tombe sur moi, essaie de m'embrasser, glisse ses mains sous mon chandail, où sa respiration se fait plus courte, où monte dans ses yeux la tension de l'autre jour, à laquelle j'ai tant pensé et avec tant de trouble. « On se penche sur les puits et on finit par y tomber, me prédisait grand-mère. Pourquoi ne vas-tu pas jouer avec les autres, Cécile? »

J'aimais le vertige que j'éprouvais au-dessus du puits : la mort m'y faisait des clins d'œil et je répondais « non ». Jouer avec les autres, cela ne m'a jamais tellement attirée. Ce qui me plaisait, c'était espionner « les grands » : du haut des arbres ou au creux des fourrés, je ne me lassais pas de les regarder, attendant, cœur battant, de saisir leur mystère. Et, l'après-midi où j'avais surpris l'oncle Alexis cherchant à embrasser la petite Marie-Thérèse, qui venait faire faire des dictées à Gaston, je ne l'avais pas volé non plus. Je n'avais pas volé le drôle de désespoir qui s'était emparé de moi : cette impression de cassure dans l'édifice imprenable au cœur duquel, bien au chaud, je régnais.

Tous les édifices sont fragiles et on règne plus ou moins bien sur sa peur de vivre, c'est tout. Dans le regard de Tanguy, comme dans l'eau au fond du puits, je lis la chute et la mort. Je lis que désespoir et violence, c'est pareil : ça commence par le désespoir. J'ai cessé de lutter. Je sens les larmes qui coulent sur mes joues.

« Oh! pardonne-moi, dis-je. Pardonne-moi, Tanguy! »

Il me lâche comme si je l'avais frappé, me regarde, puis me repousse.

« Fous le camp, dit-il. Décampe! Et que je ne te revoie plus jamais! »

CHAPITRE XXV

LA MAIN VERTE

Ma mère n'était pas là : elle travaillait. Elle s'occupait de prisonniers. Prisonniers, ils l'étaient aussi d'eux-mêmes, paraît-il. Il fallait longtemps avant qu'ils acceptent de montrer le fond de leur cœur. C'était passionnant de les aider à y trouver le meilleur.

Mon père n'était pas là : il travaillait. Il soignait des gens malades dans leur chair, mais souvent, racontait-il, le mal dont ils souffraient venait de leur esprit, ou de leur âme. C'était leur difficulté à vivre qui s'exprimait en douleurs, en ulcères, en éruptions. Pour certains de ceux-là, il suffisait que mon père leur sourie, les rassure, et déjà ils se portaient mieux.

Mes sœurs n'étaient pas là : elles vivaient leur vie qui n'était plus la mienne. A présent, quand elles disaient : « la maison », elles parlaient d'un lieu d'où j'étais absente. C'était très bien ainsi. Pour moi aussi, un jour, « la maison » ne s'appellerait plus *La Marette* : il ne manquerait plus au tableau qu'on m'appelle « maman ».

Dieu n'était pas là; il était à l'église : dans les statues de plâtre, les vieilles dames chevrotantes et les livres de messe. Il était peut-être aussi un peu dans cette tige qui poussait au milieu de notre pelouse, mais moi, il m'avait lâchée. Chez Tanguy, plus d'élan, ni de lumière. Aucun signal.

J'ai rempli la baignoire jusqu'au bord et je suis restée longtemps dans l'eau très chaude. Je revenais de voyage. J'étais sale, fatiguée; j'avais mal aux bras et aux jambes, les lèvres me brûlaient. Je m'étais payée un tour, plutôt dangereux, au pays de la solitude. Je pouvais me réjouir : pour moi, c'était fini. J'étais rentrée!

J'ai fermé les yeux. Ce bruit régulier, de l'autre côté du chemin, ce claquement sec, qui sentait la flamme, c'était la hache de Grosso-modo fendant le bois. Il m'a tirée hors de l'eau. Il m'a appelée.

Avec le soir, le brouillard tombait et de la fumée sortait de la bouche de Tavernier. Il a cessé de travailler pour me regarder venir vers lui.

« C'est donc déjà fini, l'école?

— Je n'y suis pas allée cet après-midi. Je n'avais pas le cœur! »

Il a hoché la tête et, du menton, m'a montré la ville de Benjamin, sous son plastique.

« Moi non plus, tu vois, aujourd'hui, je l'avais pas tellement, le cœur. Grosso-modo, le petit, ça fait un vide. »

Il s'est remis à fendre : c'était son frêne pleureur, tombé lui aussi, l'hiver dernier, sous le poids du gel. J'aimais bien quand la lame se prenait dans le bois et que la hache et la bûche montaient ensemble avant d'exploser, et la fine gerbe de bois, et l'odeur. J'ai ramassé ce qui était déjà coupé.

« Tu ne veux pas de gants?

— Non merci! »

Je lui ferais mes adieux à mains nues à cet arbre qui donnait une ombre en dentelle. J'ai rangé ses bûches bien droites, sur le tas au fond du garage. Celles-là, on ne les brûlerait pas tout de suite, trop fraîches, en un sens, trop vivantes. Pour la viande aussi, c'est meilleur si on attend un peu. Et puis, sous l'appentis, plus près de la maison, il y avait tout ce qu'il fallait pour l'hiver : les fines branches caramélisées de hêtre, rapportées de la forêt, les tailles de groseillier qui vous font démarrer un feu en beauté et le chêne pour la durée. J'aurais tant voulu être un chêne; je suis de l'espèce courte qui s'étend en largeur plutôt qu'en hauteur, se mêle aux autres et les empêche de respirer. Il ne me reste plus qu'à devenir pleureuse! J'ai posé subrepticement mes lèvres sur une bûche : toi, ma vieille branche, quand tu brûleras, où en sera Tanguy? J'ai tout le temps envie de faire des choses comme ça, parce que l'avenir est inscrit partout mais qu'on est trop bouchés pour le lire.

La nuit tombait sérieusement quand Grosso-modo a lâché sa hache. Je ne sentais plus mes doigts : on aurait dit de la saucisse.

« Tu fais le tour du propriétaire avec moi?

– Et comment! »

La cérémonie a commencé. Pas question pour Grosso-modo de rentrer le soir sans s'être assuré que chaque arbre, plante ou fleur était bien à sa place; et le matin, avant le café, même programme. Dans l'ensemble, tout ça se portait plutôt bien.

« La main verte, qu'est-ce que c'est exactement? ai-je demandé.

– Grosso modo, il y a deux façons d'aimer les plantes, a-t-il répondu, pour elles ou pour la galerie. Ceux qui les aiment pour la galerie, la plupart du temps, ils leur en demandent trop et elles ne répondent plus. Ceux qui les aiment pour ce qu'elles sont, elles le sentent et donnent leur meilleur. C'est ça, la main verte : ça circule de toi à elles, comme des ondes : vous, les jeunes, vous appelez ça des " vibrations ". »

Il m'a fait admirer son bel arbuste couvert de boules rouges qu'il avait appelé « Noël » parce que, sous la neige, il fleurissait comme l'espérance.

« Pour moi, mes plantes, c'est un peu mes enfants; alors, la main verte, c'est aussi l'amour paternel.

– Dans ce cas, on peut dire que les parents, c'est comme des jardiniers?

– Tout pareil! Et la graine qu'ils ont semée, grosso modo, elle donne pas toujours ce qu'ils attendaient; et s'ils forcent, ça fait du dégât. »

Je me suis tournée vers la ville nouvelle. Du jardin de Tavernier, on ne pouvait pas la deviner mais ce poids gris en moi, c'était elle et il en montait comme un cri.

« Il y a aussi des questions de terrain, ai-je dit. Les villes, ça n'a jamais été fameux pour le développement des plantes.

– Il y a une image qui me reste, a-t-il dit. Ecoute ça... »

C'était dans une ville en guerre dont les rues avaient été barrées par des sacs de sable. Au printemps, les sacs s'étaient mis à fleurir.

Nous sommes rentrés par la cuisine. Les femmes étaient dans le living-room où on entendait la télévision. Nous n'avons pas fait de bruit pour rester tous les deux. Pendant que Grosso-modo se passait les mains à l'eau, j'ai regardé la photo, sur le buffet, où il se trouvait avec son chien : Coing. Un vieux bâtard jaune un peu blet aux extrémités, toute une histoire!

« Pourquoi vous avez dû l'abattre, Coing? Qu'est-ce qu'il avait fait?

– Un jour, il s'est mis à mordre.

– La rage?

– Pas du tout. On n'a jamais bien su pourquoi mais il est devenu mauvais. »

Sur la photo, Coing était assis aux pieds de son maître et il le regardait comme seuls savent regarder les chiens : en se donnant tout entier.

« Ça vous a fait de la peine? »

Il a mis un moment à répondre :

« Au moins, je l'ai tué moi-même : je n'aurais pas voulu laisser ça à un autre. »

C'était mon tour devant l'évier. J'ai présenté mes petits boudins à l'eau chaude; ça faisait à la fois du mal et du bien; on ne savait pas si c'était agréable ou non.

« Il avait peut-être été battu dans sa jeunesse, ai-je remarqué. Ça arrive! Et dans ce cas, ce n'est pas leur faute s'ils sont mauvais.

– Il n'avait jamais été ni battu ni rien, a dit Grosso-modo. Le vétérinaire m'a expliqué : c'était en lui. »

J'ai essuyé mes mains. Ça me cuisait près du pouce. Je le lui ai montré : une écharde.

« Je sais que je ne l'ai pas volée... »

Il a ri :

« La prochaine fois, tu accepteras peut-être mes gants. »

Nous nous sommes assis près de la table, sous la lampe, et j'ai regardé ailleurs pendant qu'il essayait de l'avoir.

« Pour les hommes, ai-je demandé, est-ce que vous pensez que ça peut être pareil? Tout à coup, ils mordent. Il n'y a pas grand-chose à faire?

– Ce n'est pas à la mode de le dire, a-t-il répondu, mais je crois bien que ça arrive! Tu essaies tout; ça ne marche jamais. Il y a des natures. »

Il m'a montré, au bout de la pince, le petit bout de bois qu'il avait tiré de mon pouce, la parcelle de frêne. Il a appuyé pour que la goutte de sang vienne. Puis il a tamponné avec un peu d'alcool.

« Et pas un soupir! a-t-il dit en souriant. Grosso-modo, voilà une fille courageuse! »

J'ai senti les larmes monter. Je suis allée à la fenêtre : rien à dire pour les carreaux, ici! A gauche, très près, sous cinquante centimètres de terre, il y avait son sacré abri anti-atomique et, comme les sacs de terre dans sa ville en guerre, il fleurissait.

« J'ai un ami qui a appelé son chat « Missile », ai-je dit. Vous ne trouvez pas que c'est une drôle d'idée?

— Ça veut peut-être dire qu'il a peur que ça tombe, a remarqué Grosso-modo.

— Vous aussi, vous avez peur que ça tombe puisque vous avez construit un abri? »

Il est venu regarder avec moi.

« J'ai pensé que si ce jour-là arrivait, il en faudrait pour continuer. »

J'ai appuyé mon front au carreau : « Continuer. » Je sentais trembler quelque chose en moi, comme un sanglot : ma fragilité. Elle me disait que j'étais vivante.

Grosso-modo a passé le bras autour de mes épaules.

« J'ai des ennuis, ai-je dit. Je ne peux rien vous raconter pour l'instant mais c'est de gros ennuis. Ça fait très mal.

— Quand tu voudras », a-t-il dit.

Nous regardions *La Marette*. On voyait bien la fenêtre du salon, les deux fauteuils près de la cheminée, la table basse. J'avais laissé une lampe allumée exprès pour indiquer que je reviendrais.

« Tu sais, a dit mon ami, quand ça fait très mal comme ça, ça veut dire que le terrain se laboure. Et quand c'est passé, il y pousse parfois de rudement belles plantes! »

CHAPITRE XXVI

UN SACRÉ PARFUM DE CAMPAGNE

Et mercredi soir, le téléphone sonne. Pour une fois, papa décroche, le hasard! D'habitude, c'est moi. Au bout du fil, Pauline. Je le devine à la respiration soudain suspendue de l'interlocuteur. Il s'est tourné du côté du mur; je ne vois que son dos, tendu. D'une voix très douce, très mesurée, sur la pointe de la voix, comme s'il craignait, en y mettant trop de force, que Pauline ne lui raccroche au nez, il lui demande comment ça va : lui arrive-t-il de se souvenir qu'elle a une famille qui l'aime et à qui elle manque? Quand revient-elle?

C'est au tour de la Jurassienne de parler. Cela dure un petit moment durant lequel mon père se retourne brièvement pour me faire un clin d'œil. « Et si nous venions te voir? propose-t-il tout à coup? Qu'est-ce que tu en dirais? »

« Nous? » A mon tour d'avoir le souffle coupé : « Tous les deux? Lui et moi? » Apparemment, là-bas, c'est plutôt « oui ». La voix de papa est transformée, pleine : dans une minute, il va chanter. Il prend note de l'adresse qu'il répète à voix haute : « Les Terrasses, Malbuisson, Doubs. » Me voilà hors de cause : Pauline ne saura jamais qu'un soir de déprime, j'avais trahi sa confiance. Trahi? A présent, mon père embrasse très tendrement sa fille « de la part de la Poison aussi, oui ». Il raccroche, revient vers moi avec son sourire des jours de fête – joie, émotion et aussi un zest d'incrédulité : quatre filles, il ne s'en remettra jamais tout à fait – et déclare : « Si vous n'y voyez pas d'inconvénient, mademoiselle, nous déjeunerons samedi à Malbuisson. »

Une grande houle balaie ma poitrine : c'était bien ça! Lui et moi. « Et avec un peu de chance, nous ramènerons ta sœur. »

Je lui saute au cou. C'est trop violent. Dans une minute, j'éclate. Il rit en me serrant contre lui : trois tours de valse pendant qu'on y est. Oh! mon Dieu, partir! Respirer! Etait-ce ce besoin d'air frais que Pauline éprouvait quand elle a décidé de prendre le train pour le Jura? Elle, c'était Paul. Moi, c'est Tanguy. L'étouffement. Je voulais la retenir. Je comprends son besoin de fuir.

« Et maman? »

Nous nous regardons, mi-sourire, mi-remords. On l'adore mais ce serait si bien, tous les deux! Nous nous tournons vers la cuisine où on l'entend préparer en toute innocence le repas de deux futurs lâcheurs.

« Elle voudra peut-être venir, elle aussi!

– Eh bien, allons le lui demander », décide papa.

C'est une mousseline de poireaux qui mijote. Les croûtons sont dorés dans la poêle, la soupière a été ébouillantée, au dernier moment, on ajoutera la crème et le gruyère. Avec ça, vous avez dîné : gastronomie, santé, économie.

« C'était qui? interroge maman.

– Pauline! »

Nous avons répondu tous les deux à la fois. Maman lâche son batteur; son regard passe de l'un à l'autre pour tenter de lire si c'est bon ou mauvais.

« Nous avons rendez-vous avec elle samedi, annonce papa. Là-bas! Qu'est-ce que tu dirais si nous te la ramenions? »

Maman tombe sur un siège, le visage illuminé.

« Avant d'annoncer des choses pareilles, on vous fait asseoir! »

J'ai repris le batteur.

« En principe, on ne part que tous les deux, papa et moi. C'est entendu avec Pauline. Mais si ça te fait trop de peine de ne pas y aller, tu peux te rajouter.

— C'est évident, renchérit Charles. ça ne fera aucun problème. »

Maman nous regarde un moment : l'un, puis l'autre. Il me semble sentir son sourire.

« A trois, cela ferait vraiment trop délégation! Je crois que je vais vous laisser y aller... en amoureux! »

Et puis, samedi, nous devions l'avoir oublié, Bernadette et Stéphane ont un méchoui chez des amis; elle a promis de garder les jumelles. Sans compter que dimanche, tout le monde vient déjeuner à *La Marette*. Tout le monde? Le silence s'emplit d'images. Parions que ce sont les mêmes pour nous trois : Pauline débarquant ici, y retrouvant Paul et son fils.

« Et maintenant, à la soupe », dit mon père.

Et c'est ainsi qu'une banale mousseline de poireaux peut prendre tout à coup un sacré parfum de voyage!

Jeudi! J'écoute la météo : grisaille et pluie sur toute la France, inondations dans plusieurs départements. Pourvu que ça dure! Pas les inondations mais la douceur. S'il neige ou verglace, prudence oblige, il n'est pas certain que nous partions.

Comme Benjamin, j'ai préparé mon bagage à l'avance. Quelque chose va nous retenir ici, j'en suis sûre; et quand, jeudi soir, maman rentre dans un drôle d'état, je tremble.

L'un des prisonniers dont elle s'occupe : Alain Denis, vingt ans, s'est ouvert les veines la nuit dernière. On l'a récupéré de justesse. Pourtant, hier, tout allait bien, paraît-il, enfin, normalement. Ils avaient bavardé; elle lui avait prêté un livre de poèmes. Il s'agit, paraît-il, d'un « suicide-appel ». Alain ne désirait pas vraiment se tuer; il voulait qu'on se souvienne qu'il existait et en bavait. C'est sans doute aussi un « suicide-chantage », explique maman d'une voix fatiguée. « Son amie venait le voir moins souvent ces temps-ci : il l'avertit que si elle le lâche, elle aura sa mort sur la conscience. »

Maman, toujours en manteau, est sur le canapé, au bord des larmes. Charles entoure ses épaules de son bras; elle appuie son front à sa veste. Pour la première fois, je réalise que ce travail qui l'intéresse tellement doit être terriblement dur parfois. Débarquer, pleine d'air frais et de liberté, dans un univers de murés, pas évident!

« J'aurais pu empêcher ça, dit maman. J'aurais dû sentir quelque chose. J'ai peur qu'il recommence. Qu'est-ce que je peux faire?

– Quoi que tu fasses pour lui, répond la voix de la sagesse au-dessus de sa tête, tu ne pourras jamais être à la fois sa mère, son amie, ses copains et la liberté. Veux-tu que nous remettions notre départ? »

C'est non! En m'endormant, ce soir-là, je vois des flammes dans une salle de théâtre. Suicide-appel? En brûlant ce qui a représenté son espoir, Tanguy ne s'est-il pas mis le feu à lui-même?

« Qu'est-ce que je peux faire? » a demandé maman.

Je n'ai rien fait pour Tanguy. Je ne pense qu'à fuir, très loin, pour ne plus penser à lui.

« J'ai peur qu'il recommence... »

Il y a quand même une question à laquelle je me suis jurée de répondre avant de partir. Alors demain. Demain ou jamais!

CHAPITRE XXVII

CHAMPAGNE!

J'ai dit à Mélodie que j'avais rendez-vous chez le dentiste et, à l'heure du déjeuner, je suis allée sonner chez Jean Lamourette : « Déménagements, transports, emballages », à Pontoise.

Devant la maison, il y avait un long camion. C'est une femme qui m'a ouvert; sous son tablier, on devinait clairement son état intéressant. Je lui ai demandé pour quand était l'heureux événement? Dans trois mois! Elle voulait savoir pour quelle publicité je venais : biberons, couches, berceau, tout ça, elle avait, merci! Je me suis présentée : Cécile Moreau, de Mareuil, une amie de la victime, sa belle-mère, qu'elle avait recueillie chez elle avec tant de bonté. Je venais prendre des nouvelles.

« Tu aurais pu le dire tout de suite. Tu me retardes. J'ai mon mari à servir. »

Ma Mme Lamourette à moi était dans son lit, un plateau sur les genoux et, pour l'appétit, ça n'avait pas l'air d'être ça. Je l'ai tout de suite reconnue bien qu'en plus réduit que dans mon souvenir. Elle m'a reconnue aussi : mon passage à la télévision[1]. Dans une certaine mesure, à Mareuil, je suis célèbre.

1. *L'Esprit de famille*, tome 1.

Sitôt sa belle-fille sortie, elle a tiré de dessous son oreiller un petit carnet où elle a inscrit mon nom avec une croix à côté; elle a consulté d'autres pages.

« Ta maman est venue deux fois », a-t-elle dit.

Première nouvelle! Mais pas de doute à avoir : il y avait bien deux croix à côté du prénom de ma mère! Et beaucoup d'autres noms avec ou sans croix. J'ai compris qu'elle comptabilisait les visites, les amis.

Je lui ai offert la boîte de gâteaux que j'avais choisis pour elle dans la réserve, à la maison : ceux qu'on donne aux petits, les tendres, question de dentition. Pendant que j'y étais, j'avais aussi apporté du champagne. Nous en avons d'avance à la cave : cadeaux de clients. Papa est toujours preneur.

Mme Lamourette a battu des mains; elle a repoussé son plateau d'un air dégoûté et a commencé à ouvrir la boîte de gâteaux pendant que je m'occupais du champagne, sous l'édredon, pour que la détonation n'en incite pas d'autres à s'inscrire. Je lui ai suggéré de manger d'abord son jambon et sa purée qui sentaient tellement bon, mais pas question! Je n'avais qu'à manger cette saleté si ça me tentait, comme ça, elle ne se ferait pas attraper par « elle ». Je me suis empressée de lui obéir : il faut savoir rendre service, même quand cela vous fait plaisir. Avec le verre à dents, nous avions les deux récipients nécessaires pour la boisson. Mme Lamourette avait sa méthode : elle laissait tremper ses gâteaux dans le champagne jusqu'à ce qu'ils soient bien imprégnés, ensuite, elle les faisait fondre sous son palais. Entre deux bouchées, elle me demandait des nouvelles de Mareuil et quand nous avons parlé de sa maison, elle a eu les larmes aux yeux. Les volets sont fermés. Sur la grille, il y a un écriteau « à vendre ». Elle y avait toujours vécu avec feu son mari et c'était comme si elle vendait son passé. Mais comment faire autrement? Vivre seule dans cette maison, elle aurait trop peur maintenant. Et puis, on lui avait tout pris. L'argent de la vente lui permettrait de n'être pas à charge.

A voix basse, en regardant vers la porte, elle m'a expliqué qu'elle se faisait toute petite – minuscule, pour n'être pas mise dans une institution. Elle semblait épouvantée à l'idée de cette institution car on vous y oublie comme sur le quai d'une gare avant un départ pour un autre continent.

Certaines personnes, le champagne les rend gaies, pas elle. Il lui ressortait par les yeux. Plus les gâteaux diminuaient, plus elle pleurait. De mon côté, ce n'était guère plus brillant : un soir, un salaud, une vie foutue. Je me sentais coupable quelque part. Je lui ai promis que, plutôt que de la laisser aller dans une institution, on la prendrait à la maison.

Dans la rue, j'ai entendu le bruit du camion qui repartait : cela m'a remis la tête à l'endroit. L'heure tournait et je n'avais toujours pas posé ma question; je ne savais pas par quel bout commencer, pourtant, il n'y en avait qu'un.

J'ai montré ses pieds sous la couverture et j'ai demandé :

« Et eux? Comment ça va? »

Elle a un peu remué les doigts pour s'assurer qu'ils étaient toujours là et lui obéissaient.

« C'est long à revenir, a-t-elle soupiré. Déjà qu'ils n'étaient pas tellement brillants avant.

– Celui qui vous a fait ça, vous l'avez vu? » ai-je interrogé, le cœur battant.

Elle a caché son visage derrière sa main.

« Il avait un foulard », a-t-elle dit.

Et alors que ma gorge achevait de se bloquer, elle a eu cette phrase fantastique :

« L'autre aussi! Je ne comprends pas. Je ne comprendrai jamais comment ils ont pu. Ils doivent bien avoir une mère, eux aussi. »

Elle avait dit : « L'autre », « ils », « eux ». J'avais bien entendu. « L'autre », « ils », « eux ». J'ai récupéré ma bouteille, j'ai embrassé très fort ses joues où l'on enfonçait comme dans du vieux tissu de flanelle. Elle ne comprenait pas pourquoi je la remerciais. Elle me regardait avec méfiance, comme si je lui avais volé quelque chose.

« Tu reviendras me voir, au moins! »

J'ai promis. Mais pas tout de suite. Tout de suite, je partais en voyage avec mon père : une petite virée dans le Jura, près d'un lac très chouette où se reflétait l'hiver et où j'allais faire des orgies de morteau et de comté.

Elle ne connaissait pas le Jura, mais la saucisse et le fromage, oui! Elle adorait. J'ai promis de lui en rapporter.

« Ils » et « eux »... Tout l'après-midi je l'ai entendue dire ces mots. Si c'était Tanguy qui l'avait attaquée, il n'était donc pas seul. Ce n'était peut-être pas lui qui avait eu l'idée du fer à repasser. Peut-être même avait-il essayé d'arrêter son complice. A moins que son rôle n'ait été, tout simplement, de faire le guet. Peut-être. Peut-être, cette peur que quelque chose n'éclate, quelque chose que je pourrais encore empêcher, n'était-elle pas fondée. Pratiques, les « peut-être », comme les « sans doute », les « après tout » et les « tant pis ».

« Peut-être bien que dimanche prochain, la famille sera au complet », a remarqué Grosso-modo avec gourmandise quand je suis passée lui dire au revoir.

Il est six heures moins le quart. Mon sac est dans l'entrée à côté de celui de papa, prévu d'une seconde à l'autre. Il se changera en cinq sec et en avant! Ce soir, Claire et Antoine viennent dormir à *La Marette* pour que maman n'y soit pas seule : à chacun son autoprotection.

Notre hôtel est réservé aux environs de Beaune, Bourgogne, la capitale du bon vin, paraît-il. Nous dormirons entre les vignes. On y sert à dîner jusqu'à onze heures du soir. Nous nous mettrons à table en arrivant : « en amoureux ». Je me suis un peu maquillée pour me vieillir, et j'ai relevé mes cheveux. Je jouerai à être la petite amie de mon père pour que les gens nous regardent d'un air pincé en pensant : « C'est honteux, quel vieux satyre. » En un sens, papa sera flatté d'avoir décroché une jeunesse. Je peux lui offrir ce plaisir sans porter ombrage à maman.

Plus tard, dans notre chambre, chacun dans notre lit jumeau, nous bavarderons un moment. C'est plus facile de dire les choses quand il fait noir, mais le lendemain, on est gêné, on se sent nu. J'essaierai de lui parler d'un garçon que je connais, dangereux peut-être. Doit-on dénoncer lorsqu'il y a doute? Parions qu'il dira « non ». Et puis, maman me l'a fait remarquer elle-même : je vois des cas extraordinaires partout : l'histoire de la Mobylette, ça ne m'a donc pas suffi? Non! Finalement, je ne parlerai pas de Tanguy à mon père : huit heures de consultation, quatre de conduite, autant demain et au bout une fille à convaincre de rentrer pour faire son devoir, je n'aurai pas le cœur d'ajouter à la liste. De toute façon, je connais le docteur Moreau : sitôt la tête sur l'oreiller, c'est parti pour la grande balade dans l'inconscient.

Je viens d'entendre le gravier crisser sous les

roues d'une voiture. Six heures vont sonner. Oh! ma bonne vieille pendule, si tu savais! Demain, quand de la même voix tu aligneras tes six coups du soir, moi, je serai en train de regarder dans les yeux un lac appelé Saint-Point.

CHAPITRE XXVIII

LES CLOCHES DE L'ÉGLISE ENGLOUTIE

Bleu dur, ce lac, comme un ciel d'orage; noirs peints de blanc, les sapins; arrondies les collines; profonde, la paix! alors, ça existait vraiment tout ça? Cela m'attendait quand, enfermée dans une salle de classe, plastique et néon, je travaillais à côté de Mélodie? Ou quand je roulais entre les tours de la ville nouvelle, béton et solitude? Ou lorsque je me réfugiais à *La Marette* : cocon et tendresse? Cela crépitait, frémissait, piquait les narines et les mains? Et elle était là aussi, cette large et chaude salle à manger ouverte sur ce paysage qui tord le cœur et le caresse.

Je regarde Pauline et je la comprends. Elle a dressé entre sa souffrance et elle, cette muraille de sapins; elle a laissé tomber cette neige sur son mal, noyé ses soucis dans ce lac, lumière du paysage, son œil calme, un peu triste, dans le reflet duquel les choses reprennent leur place. Ce lac est philosophe.

« Je ferais bien un petit plongeon! »

Papa rit :

« C'est ça, ma Poison, vas-y! Ça me paraît tout indiqué après un déjeuner pareil! »

Nous venons d'engloutir une formidable potée. Je

les ai eues tout de suite, mes saucisses de Morteau, mais aussi du « brési », du « jésus », le tout arrosé de « brise-mollet », un vin récolté par ici. Plus d'un verre, vous êtes cuit! Béa en a vidé trois. Elle somnole sur l'épaule de son ami, Martin, photographe lui aussi, plus cameraman à la télévision. C'est grâce à lui que nous sommes tous là puisque le patron de l'hôtel, fermé à cette saison – c'est-à-dire ouvert juste pour la famille – est l'oncle de Martin, son parrain par-dessus le marché. Nous calons sur la montagne de pets-de-nonne.

« Sais-tu sur quoi tu risquerais de te piquer le nez si tu plongeais dans le lac? demande Martin d'un air mystérieux.

– Non.

– Le clocher d'une église!

– Racontez-nous vite ça », dit mon père avec gourmandise.

Il adore les légendes. Dans chacune, d'après lui, il y a un fond de vérité : à nous de le trouver. Béa émerge pour écouter. Il était une fois une ville heureuse et prospère : un jour, une femme s'y présenta avec son enfant, demandant pain et abri. Toutes les portes se refermèrent. La femme et l'enfant périrent. Cette année-là, un lac submergea la ville.

« Les larmes de cette femme et de son enfant, murmure Pauline.

– C'était donc ça, dit Béa, qu'en m'y penchant l'autre jour, tout au fond, j'ai entendu les cloches sonner. »

Le patron nous apporte les cafés. Mon père en a commandé un double, mais surtout pas dans la même tasse. Double café dans une seule tasse perd moitié de l'arôme. Pendant qu'il explique à la ronde cette découverte d'importance, Pauline se penche vers moi : elle tend le doigt.

« Tu vois, la barque était là, au milieu du lac. On l'avait repérée, le soir, avec Béa. Et puis la nuit est tombée et on n'y a plus pensé. Et le lendemain, au petit déjeuner, on la revoit à la même place. Avec, dessus, comme une bâche. Le gamin était dessous. Tu te rends compte? Heureusement qu'il n'a neigé que la nuit suivante! C'est un miracle qu'il en ait réchappé. D'ailleurs, si on l'a pris si facilement, c'est qu'il était gelé. Son fusil, il n'aurait pas eu la force de s'en servir. »

Le lac a noyé les égoïstes et refusé l'enfant. Dans la vitre, c'est le visage de ma sœur que je vois. Nous n'avons pu parler de rien pour l'instant, et l'on pourrait imaginer que nous sommes venus juste pour le plaisir de passer deux journées avec elle.

« Toi, ça va? »

Elle incline la tête sans sourire. Quand je l'ai vue, la dernière fois, son visage était révolté, plein de colère et de douleur : plein de flamme, en un sens. Quelque chose s'y est éteint. L'enfance?

« Plus tard, murmure-t-elle. Pas maintenant! C'est si bon de se retrouver!

— Et nous n'avons même pas parlé de Fabrice! remarque notre père qui aborde solennellement son second café. Où en sont nos reporters?

— Elles commencent à y voir plus clair, explique Béa. On est en rapport avec le médecin qui s'en occupe. Le pauvre gosse était l'esclave de la maison. Il faisait tout. Ses parents avaient deux passions : la bouteille et la télé.

— Et qu'est-ce qui va se passer?

— Au juge de décider. Fabrice a son mot à dire, l'ennui c'est qu'il refuse toujours de parler : juste trois mots de temps en temps pour indiquer qu'il a une langue. »

Elle soupire :

« Si je pouvais, je le prendrais.

– Le pauvre, s'exclame Martin. Toutes chances qu'on le retrouve sur le lac huit jours après. »

On n'est pas bien sûrs d'avoir le droit de rire. Mais si, puisque Fabrice, pour l'instant, est sauvé. Et puisque ça fait un tel bien!

« Et quand verra-t-on dans la presse quelque chose signé de ces demoiselles? s'enquiert papa.

– Les photos sont prêtes, dit Béa. Et pas piquées des vers! Quand Mademoiselle votre fille se sera décidée à pondre son papier, on aura peut-être une chance de le voir publié. »

Tout le monde s'est tourné vers Pauline. Comme son regard est profond. J'y sens quelque chose d'englouti: l'espoir? Mon cœur se serre. Tout n'est pas fini, n'est-ce pas? Paul, Benjamin et toi? Toi, Benjamin et Paul. Ça reprendra?

« Vous comprenez, dit-elle d'une voix sourde, Fabrice, c'est encore une question d'amour finalement! Et l'amour, en ce moment, j'ai du mal à en parler, voilà tout! »

CHAPITRE XXIX

LE PRÉSIDENT

Il s'appelle « le Président ». Chaque année, des spécialistes viennent en grande cérémonie prendre ses mesures. Aujourd'hui : cinquante mètres de haut, trois cent cinquante centimètres de tour de cheville. Avec ses deux cent cinquante ans et des poussières, c'est le plus vieux sapin de la Joux.

Elle nous attendait, elle aussi, cette forêt! Avec son armée noire, ses soldats serrés, au garde-à-vous, la tête dans les nuages, les pieds dans la neige, l'uniforme trempé.

Comme tout le monde, j'appuie mes paumes sur le tronc du géant. Qu'est-ce qui vit encore sous cette croûte épaisse dans laquelle les passants ont essayé de graver leurs initiales afin d'y imprimer leur minuscule passage, d'en faire leur témoin quand ils ne seront plus là, je veux dire sur cette terre.

« Et tout ça pour la lumière... » s'extasie Charles, tête renversée.

Tous ne l'ont pas trouvée. Certains se sont comme résignés et s'étalent en largeur plutôt qu'en hauteur. Il y a aussi des condamnés à mort. Un trait de peinture sur leur tronc indique, paraît-il, qu'ils vont être abattus : les faibles, les blessés, les malades comme celui-là sur lequel se développe un énorme goitre. Ou tout simplement ceux qu'on va couper pour faire de l'air aux voisins.

« On les plante serrés au départ, explique papa, ainsi, ils se protègent mutuellement des intempéries. Puis, quand ils sont suffisamment costauds, on fait de la place aux plus forts. »

De temps en temps, un paquet de neige tombe. Il n'y en a plus guère sur les branches : elle est à nos pieds, sale, percée d'aiguilles de pin. La neige n'est belle qu'en vol, ou dans les livres d'enfants.

Pauline envoie un grand coup de botte dans un vieux tronc pourri. Il éclate en débris mouillés : à l'intérieur, il était creux.

« A quoi ça servirait de rentrer pour faire la gueule, dit-elle soudain. On sera bien avancés tous les deux! Et, de toute façon, quoi que vous disiez, il y a des choses qu'on n'oublie pas... »

Nous nous gardons bien de rien dire! Elle a tourné le dos au Président et repris la marche sans même s'assurer qu'on la suit. Le chemin est complètement défoncé par les tracteurs. Danger d'enlisement. On a intérêt à marcher au bord.

« Il paraît que " c'est comme ça ", reprend-elle. Que je suis libre moi aussi et que ça ne changera rien à " notre amour "... Un peu facile, non? Et si moi je n'en voulais pas de cet amour-là?

– Tu aurais rudement raison! » dit papa.

Pauline se retourne, étonnée. Charles prêchant la révolte? Mais comme il esquisse un geste vers elle, elle repart, très petite fille dans son vieil anorak, avec son bonnet jusqu'au nez, ses grosses chaussettes aux genoux. C'est vrai que c'est trop facile : une femme pour le courant, le confort, la maison. Toutes les autres pour l'aventure.

« On se demande pourquoi un type comme ça se marie!

– Parce que je le lui ai demandé, figure-toi! Comme une conne... »

Quand Pauline jure, c'est que ça va mal : sa façon de se punir. Ou nous. Quand papa ne relève pas c'est que l'heure est grave. Silence. Seulement, un bruit d'eau généralisé : en bas, en haut, ça coule, ça pleure partout. Et où sont passés les oiseaux? Où s'abritent les sangliers, les daims et les biches? J'ai l'onglée. Mes chaussettes sont à tordre. Mon père l'avait bien dit! On ne se balade pas en forêt, l'hiver, avec des bottes à fermeture Eclair. Je rêve à la ferme devant laquelle nous sommes passés, tout à l'heure, avec son toit jusqu'à ses pieds, sa muraille de bûches, sa cheminée qui fumait. Armée, la ferme! Blindée de partout. Elle peut venir, la tempête! Elle peut tomber, la neige! On les attend. Pauline n'était pas prête pour les grands vents. Elle est allée à Paul avec pour tout bagage ce qu'elle avait reçu à *La Marette* : la chaleur, la tendresse, la joie. Ça ne fait pas un soldat, ça! Aux premiers froids, on grelotte. Au premier choc, par terre! Et si quelqu'un vous crie : « A l'aide », quelqu'un qui s'appelle Tanguy par exemple, on prend ses jambes à son cou!

« Je le sais bien qu'il en bave, monologue Pauline. D'accord, c'est terminé avec cette salope! Ça lui a foutu un coup, mon départ. Mais il recommencera, c'est sûr. Et moi, je n'ai pas l'intention de passer ma vie à l'attendre.

– Il n'en est pas question! » dit papa.

Pauline se retourne à nouveau.

« Ça veut dire que tu ne rentrerais pas?

– Bien sûr que si, je rentrerais! Mais " autrement ". »

Là, Pauline s'arrête tout à fait. Elle murmure :

« Autrement? Comment ça : " autrement "? »

Ce qui a tremblé dans sa voix, c'était l'espoir. Il éclaire aussi son regard levé vers papa. C'était donc ça qu'elle attendait? Sous ses airs de têtue, de blasée? Qu'on vienne lui donner une bonne raison de rentrer chez elle, de tomber sur l'épaule du « salaud », et pendant qu'elle y est, de lui dire qu'elle l'aime malgré tout?

« Je rentrerais pour me battre », dit papa.

Il prend sa fille par les épaules, rapproche son visage du sien, tout près.

« Je ferais comprendre à cet imbécile où se trouve son bonheur, gronde-t-il. Je lui ferais rentrer dans la caboche que ce n'est pas parce qu'on s'est fait bousiller la patte à dix-huit ans qu'on doit se croire obligé de marcher de travers toute sa vie, de saboter ses chances de bonheur, avec celles des autres par-dessus le marché. Je lui prouverais que boiteux ou non, il peut vivre comme tout le monde, être heureux comme tout le monde. »

Bouche bée, émerveillée, Pauline contemple la colère de papa. Moi aussi, je m'attendais à tout sauf à ça. Pas un mot de Benjamin, de devoir, de raison, de patience. Même pas un mot de son bonheur à elle, ou de sa souffrance. Papa lui désigne un homme, le sien, celui qu'elle a voulu, absolument, et Dieu sait si elle les en a fait baver, maman et lui avec ses « je l'aime » en toute réponse aux objections. « Il est infirme »... « Je l'aime »; « Il est mal dans sa peau »... « Je l'aime. » « Il a fait les quatre cents coups »... « Je l'aime, je l'aime, je l'aime. » Il lui montre cet homme-là, et il lui dit : « Sauve-le. »

Et comme une chaleur m'envahit. Un père, c'est donc ça? La porte de secours, la bouée de sauvetage, le garde-fou, la digue, le pont. Dans son genre, une sorte de « Président » qui voit tout de haut et vous surprend. Sur lequel on a envie de se graver. Et inutile de me dire que mûrir, c'est s'apercevoir que le Président, le pont, la digue, le garde-fou, la bouée et la porte, c'est à soi de se les trouver, sans compter sur l'immortalité d'autrui, je le sais!

« Tu l'as pris, Pauline, dit-il. En toute connaissance de cause, rappelle-toi. Tu l'as voulu tel qu'il était. Tu n'as pas le droit de le lâcher maintenant. Sais-tu ce qu'il nous a dit à ta mère et à moi? « Elle « est mon seul avenir. »

– Son seul avenir? répète Pauline.

– Et tu n'ignores pas ce que cela veut dire, poursuit papa. Alors ne referme pas cet avenir. Ne le renvoie pas à ses... imbécillités. Continue à lui montrer le chemin. Tu sauras très bien.

– Je saurais? Tu crois? »

Il la prend contre lui. Elle s'y laisse aller. Il n'y a plus qu'eux deux ici : le père et la fille, l'homme et la femme.

« Belle comme tu es? Forte comme je te sens ? Bien sûr que tu sauras », murmure-t-il.

Alors, dans les yeux de Pauline, remonte ce qui y était noyé : la confiance. Et, en même temps, la lumière que j'y cherchais tout à l'heure : l'enfance. Puis son regard dépasse celui de papa, s'envole, s'arrête là-bas.

« Le " Président ", dit-elle. Regardez comme on le voit mieux d'ici! »

D'ici, c'est vrai, on se rend compte qu'il dépasse tous les autres. Est-ce que, comme moi, quelque part en elle, Pauline pense à Charles en l'admirant? Mais tant d'années... Et soudain, inexplicablement, j'ai peur, et froid; envie de courir, de rentrer. Croyez-moi, quand il tombera, ce sapin-là, ça fera du dégât!

« Je ne sais pas si vous avez remarqué, les petites, dit Charles, mais la nuit n'est pas loin et, personnellement, je n'ai aucunement l'intention de dormir ici.

– Si je peux me permettre de vous rappeler ma

modeste présence, dis-je. Je n'ai, personnellement, aucunement l'intention de manquer la fondue. »

Et nous avons repris le chemin. C'est papa, cette fois, qui ouvrait la voie. Pauline aurait eu plutôt tendance à traîner. Voilà qu'elle découvrait que le spectacle en valait la peine, qu'elle était vivante et qu'il y avait devant elle d'autres perspectives que les doigts de ses pieds.

On commençait à deviner l'orée, là-bas, comme par des rideaux entrouverts.

« Une forêt pareille, je suppose que vous n'aviez jamais vu ça? a déclaré Pauline avec importance.

— Merci à toi de nous en avoir fourni l'occasion, a répondu papa en se détournant pour sourire.

— Eh bien, la plupart de ces arbres vous ont tous vus naître, a-t-elle expliqué. Parce que, ici, vous l'ignorez sans doute, ce n'est pas pour soi qu'on plante, c'est pour ses petits-enfants!

— Planter pour ses petits-enfants? Figure-toi que j'y pensais », a dit papa.

CHAPITRE XXX

L'EMPEREUR DES FROMAGES

LE fromage! Vous vous hissez sur les sommets.
Vous planez dans le sublime : ce goût d'éternité,
c'est pour vous; et vous vous retrouvez le nez dans
le comté, au sens propre du terme : le plus beau, le
plus rond auquel vous ayez jamais osé rêver! Après
le Président des sapins, l'Empereur des fromages!

Parce qu'on s'est égarés évidemment! A force de
courir derrière Pauline, les yeux fixés sur son avenir, nous avons perdu notre vulgaire chemin et
quand nous sommes ressortis de la sapinière, pas
de trace de voiture, aucun point de repère : devant
nous, un grand plateau blanc sur lequel le ciel,
bousculé par le vent, délayait ses bleus, les changeait en gris et en noir.

Papa a pris la direction des opérations. Pas question de retraverser la forêt : il ferait nuit complète
avant qu'on en soit ressortis. Faire le tour en
espérant retrouver la voiture? Hasardeux! D'autant
que Pauline affirmait qu'il fallait partir à droite
alors que lui, penchait très nettement pour la gauche. Seule solution, viser, là-bas, de l'autre côté du
champ, le clocher, comme une fleur renversée. Qui
dit clocher, dit village, gens, âmes, assistance.

Nous avons traversé tout ce blanc. Pour nous

donner du cœur à l'ouvrage, le docteur nous décrivait le beau troupeau de vaches bigarrés qui, aux jours cléments, se gorgeaient de bonne herbe là où nos pieds enfonçaient dans la neige. Imaginez le lait tiède et la crème... Et il ne rêvait pas puisque, pour confirmer ses dires, la première maison sur laquelle nous sommes tombés, moitié pierre, moitié bois, coiffée bas d'un grand toit brun, était la « fruitière ». Pauline a poussé la porte.

Nous étions dans une grande salle carrelée. Contre les murs, s'entassaient de hauts pots de fer. Au centre, trois immenses cuves de cuivre rouge : plus loin, dans des cercles de bois, une sorte de pâte blanche. On retenait sa respiration tant l'odeur était forte : odeur de vie, fraîche avec des courants tièdes.

Penché sur l'une des cuves, un homme en tirait un lourd sac de gaze dans lequel pesaient comme des milliers de grains de lait. Il portait un tablier aussi blanc que ses cheveux; son visage était plutôt rouge, très creusé, comme un vieux chemin de forêt. Il nous a jeté un coup d'œil.

« Une minute et je suis à vous! »

Nous nous sommes approchés. Nous n'osions pas parler de peur de troubler la cérémonie. Les deux autres cuves étaient pleine d'un mélange épais que remuait une femme. A présent, l'homme posait son fardeau sur un rond de bois. Il l'étalait. Il l'emprisonnait dans un cercle. Ses gestes étaient lents, attentifs; on avait envie d'être touchée par lui, comme ça, en amoureux. On comprenait que ce travail, c'était sa vie et qu'il en était fier.

Lorsqu'il a eu fini, il s'est redressé et il a contemplé son ouvrage.

« Excusez... mais il y a des moments où il vaut mieux être à ce qu'on fait.

– C'était beau », a murmuré Pauline.

Elle était venue très près de lui, ma sœur écrivain,

et elle le regardait comme si elle attendait qu'il lui dise quelque chose. Les yeux de l'homme l'ont parcourue : ni femme ni enfant; chien mouillé, chien perdu.

« Et aussi bon que beau, j'espère! a-t-il dit. Tant qu'à faire son boulot, autant que le résultat soit à la hauteur, n'est-ce pas? »

Il a souri :

« Madame ou mademoiselle?

– Madame », a dit Pauline d'une grosse voix enrouée.

Papa a toussé discrètement pour faire diversion; l'homme s'est retourné vers lui :

« Qu'y a-t-il pour votre service? »

Charles a expliqué que nous avions perdu la voiture en lisière de la forêt. Tout ce qu'il savait, c'est que nous étions entrés du côté Nozeroy.

« Et vous en êtes ressortis du côté " Champagnole " », a dit l'homme avec un rire.

Il nous a regardés tous les trois : pauvres citadins désemparés.

« Allez! Le temps de terminer ici et on va la retrouver, votre voiture! M'étonnerait qu'elle se soit envolée. »

Il est retourné à son fromage. La femme, maintenant, nettoyait la cuve qu'il avait libérée. Elle avait relevé ses manches; ses bras étaient pâles, crémeux. Le cuivre brillait comme un soleil mouillé. Dehors, la nuit était complètement tombée. Pauline a pris le bras de papa. Elle l'a entraîné à l'écart.

« J'ai quelque chose à te demander! »

Elle avait à nouveau son regard sombre.

« Oui, madame? » a répondu Charles sur la pointe de la voix.

Pauline s'est détournée. Elle regardait le fromager qui recouvrait la pâte d'un rond de bois et faisait lentement descendre la presse dessus.

« D'abord, je n'ai plus un sou, a-t-elle annoncé. Je te signale que c'est Béa qui m'entretient depuis huit jours!

– Tant que tu as un père solvable, ça ne me paraît pas dramatique », a remarqué papa avec le plus grand calme.

Pauline a montré le fromage :

« Paul adore ça. On pourrait peut-être en rapporter un bout? Ça serait quand même trop bête de manquer une occasion pareille! »

C'est ainsi qu'elle nous a fait part de son intention de rentrer avec nous et je penserai jusqu'à la fin de mes jours qu'un fromager du Jura y a été pour quelque chose. Papa a très bien gardé son sang-froid. Il a dit que, lui aussi, avait une faiblesse pour le comté et il a quasiment galopé demander si la fabrication était à vendre.

« Si elle ne l'était pas, on n'aurait plus qu'à mettre les vaches au chômage », a répondu l'homme.

Nous l'avons suivi à la cave qui était comme une chapelle souterraine. Pareilles à d'immenses hosties, les meules reposaient sur les étagères : tout un travail, tout un amour. Sur une table, se trouvait un fromage entamé. Il a pris un couteau et en a montré une part.

« Combien je vous en donne? Comme ça?

– Plus! » a dit Pauline.

Papa l'a regardée. Elle avait l'air d'avoir très faim tout à coup. Il lui a adressé un clin d'œil, et il a tendu le doigt vers une étagère.

« Comme ça. Un entier. Nous sommes nombreux. Ça fera l'hiver. »

Voilà comme on fait des folies pour une femme! Nous sommes repartis avec le poids de Pauline en fromage : cinquante kilos, six cents litres de lait et bon appétit!

On n'a pas eu de mal à trouver la voiture. Nous lui avions tout simplement tourné le dos : les forêts, c'est traître, ça vous entraîne dans les hauteurs, on ne sait plus où on en est. Caser le passager supplémentaire dans le coffre n'a pas été une petite affaire : il a bien failli terminer sa carrière dans la neige.

Il était six heures du soir quand nous sommes entrés dans la cour des Terrasses, éclairée pour nous accueillir. Béa est accourue : elle nous croyait tous morts. Nous lui avons fait admirer notre emplette.

« Comme roue de secours, ça se pose là, a-t-elle remarqué. Mais surtout comme parfum. »

On avait l'impression d'ouvrir la porte d'une étable; toutes chances que la « Princesse » refuse à jamais de monter dans cette voiture.

« Croûte rugueuse : comté. Croûte lisse : emmental. Lait de vaches montbéliardes pie rouge, délai de fabrication neuf mois, a récité Pauline.

– Dis donc, c'est sur Fabrice ou sur le fromage du cru que tu vas écrire ton article? » a demandé Béa.

Alors, ma sœur s'est mise à faire un drôle de bruit. Cela montait du ventre, passait par la gorge et sortait par la bouche. C'était un peu rouillé : on sentait que ça arrachait au passage, que ça faisait longtemps mais ça pouvait quand même s'appeler un rire. Béa l'a regardée : elle a ouvert la bouche pour dire quelque chose mais Pauline lui a collé sa main sur les lèvres.

« Surtout, tais-toi! Pas un mot! Je suis heureuse : je rentre à la maison. »

Nous, discrètement, on les précédait vers « l'hôtel du miracle ». Pas certain que le « Président » ait entendu quand elle a ajouté « je l'aime »! A son âge, les oreilles...

CHAPITRE XXXI

JOUER À L'ENFANCE

Toutes les deux, l'une en face de l'autre, de l'eau jusqu'au menton. « Preum », a crié Pauline en se précipitant dans la baignoire. Et en quel honneur? Moi aussi, j'étais frigorifiée. Et j'en avais rêvé, de ce moment! Je me suis installée d'autorité de l'autre côté, et nous avons laissé l'eau monter. C'était comme dans notre enfance : le « grand jeu du froid[1] », lorsque, nues sur nos lits, en plein hiver, fenêtre ouverte, nous remontions par paliers la couverture pour bien sentir la chaleur nous envahir : pieds, jambes, cuisses, ventre, épaules... Quand l'eau a brûlé notre nuque : toutes les deux au paradis!

« Ça t'est arrivé de prendre un bain avec Paul?

– Une fois. En vacances. Il avait réservé la " chambre royale " à l'hôtel : une baignoire-piscine.

– Et vous avez... »

Pauline me regarde d'un air faussement indigné. Elle se laisse glisser un peu plus dans l'eau, jusqu'au nez, et me répond en bulle : « Oui. »

Si les pensées se concrétisaient en images, ce

1. *L'Esprit de famille*, tome 1.

serait du joli! Je la regarde, si mince, tachée de sombre. Je serais un homme, j'aurais envie de la casser un peu quand je la prendrais dans mes bras.

« Tu ne me trouves pas trop grosse, moi? »

Elle ouvre un œil pour me détailler.

« Tu es du genre rond. En décharné, tu serais atroce. Et les rondes, ça plaît, tu verras! »

Il n'y a pas de fenêtre dans la salle de bain : avec son papier au plafond, on se croirait dans un paquet-cadeau. Ma tête tourne un peu. J'ai l'impression de flotter hors du temps. La première qui sort de l'eau retrouve la vie, casse la magie.

« Ça t'ennuie de parler de Paul?

– Pas du tout.

– Qu'est-ce que papa a voulu dire par " son seul avenir "? »

Le regard de Pauline me dépasse.

« Avant moi, Paul était plutôt mal barré.

– Elisabeth?

– Entre autres... »

Elle hésite :

« Tu me jures de ne pas répéter?

– Une tombe, ma vieille!

– Avant de me rencontrer, il prenait de la cocaïne : pas des masses mais quand même! C'était le grand chic dans son groupe d'écrivains; ça donne des idées, paraît-il; et de la force pour les exprimer.

– Mais c'est très dangereux!

– Et comment! Un jour, tu trouves que tu écris mieux avec; le lendemain, tu n'arrives plus à écrire sans. T'es dans le circuit : foutu! »

Les voilà donc, les « chemins tordus » de Paul! Et la voilà, sa force. Elle barbote dans l'eau, le long de moi, cette petite chose qui tient dans un tiers de baignoire. Je ferme les yeux. Moi qui mettais Paul dans les costauds! Mûrir, c'est ça aussi : voir tomber des murs.

« A Montbard, quand je l'ai rencontré pour la première fois, il essayait de décrocher de tout ça. Il paraît que je l'y ai aidé. Quelque part en lui, il a compris que j'étais sa chance. »

Sa chance... Ça se tord en moi. Je demande vite :

« Et maintenant? Qu'est-ce que tu vas faire? »

Elle hausse les épaules :

« D'abord, arrêter de chialer. Chialer, ça coupe les bras. Je vais essayer de me souvenir : je me suis bien battue pour l'avoir! Et je l'ai eu finalement, non?

— Et réciproquement! »

Elle a un sourire.

« Et puis, aujourd'hui, nous sommes deux! »

Tiens! Le voilà de retour, Benjamin. Quand personne ne songe plus à le lui rappeler. Je la regarde. Paul lui dit « reviens », et elle dit « oui ». Elle n'a pas peur, elle! Pourtant, c'est grave, la drogue. Une violence aussi, une agression. Ça ou mettre le feu, quelle différence, au fond?

Je murmure :

« J'aimerais avoir du courage comme toi. »

Ses yeux foncent :

« Ce n'est pas du courage : l'amour. »

Quelque chose déborde en moi : comme elle l'a dit! Pas seulement avec le cœur, avec le ventre aussi : le fond du ventre. Je crois bien que je suis jalouse et que je lui en veux. Je l'ai inventée, la magie. Qu'est-ce qu'on fout ensemble dans cette baignoire? A quoi j'ai voulu jouer? A réveiller les mortes? « Petites sœurs d'autrefois, nageant ensemble dans l'eau chaude du bonheur, êtes-vous là? » Elles ne seront plus jamais là. Elles le savaient bien : c'est fini, l'ignorance, l'innocence. Y jouer, c'est triste comme un enterrement. Je ne prendrai plus de bain avec toi, Pauline. Nous sommes grandes maintenant : mieux vaut s'y faire, c'est pour toujours!

« Mais qu'est-ce qui t'arrive, Poison? Tu pleures?

– Bien sûr que non! »

J'asperge mon visage un bon coup.

« Simplement une petite peur.

– Peur de quoi?

– De ne jamais arriver à aimer comme toi. Comme ça. En donnant tout. »

J'ai cru que ça y était et au pied du mur, plus rien. Ou plutôt si : le dégoût, la peur. Comme toujours, j'ai choisi celui avec lequel ça ne pouvait pas marcher. Quand j'étais petite, ce n'était pas mieux : je m'inventais des amis, comme ça, aucun danger! Je ne suis bonne qu'à embrasser ma glace ou, à la rigueur, deux lèvres à travers un foulard.

« A mon âge, vous aviez toutes sauté le pas. Je ne peux même pas dire que c'est la vertu qui me retient. Je voudrais bien mais au dernier moment, je cale. Je fais une fixation sur papa, c'est sûr! Archi-classique... la petite dernière trop couvée. On ne devrait pas fabriquer des enfants sur le tard. A moins que je ne sois frigide, ça serait le bouquet! »

Pauline se tord. De ses doigts de pied, elle caresse mon épaule.

« On passe toutes par là, qu'est-ce que tu crois? On a toutes peur de ne pas " le " rencontrer. Et un beau matin, il te tombe dessus, et toutes les questions s'envolent. Tu es submergée. Tu ne réfléchis plus. Tu donnes tout, et ce n'est pas assez. Tu voudrais te retourner la peau pour donner plus encore. »

Je secoue la tête :

« Il y a quand même sûrement une question de

terrain! Je ne suis pas un bon. Et, en plus, il faudrait que les choses soient réciproques? Faut quand même pas demander le miracle!

– Si! dit Pauline. Absolument!

– Eh bien, eh bien, ne nous gênons surtout pas... » s'exclame papa.

Il vient d'apparaître à la porte : nous replongeons. Mi-figue, mi-raisin, il regarde le paysage : ses filles, les chaussettes sur le radiateur, les vêtements semés partout.

« Quand on entre chez les dames, on frappe, remarque Pauline.

– Quand les dames laissent leur clef sur la porte, ça peut signifier une invite, rétorque papa. Savez-vous seulement quelle heure il est?

– Sûrement très tard. On bavardait. On a tout oublié.

– La fondue est quasiment sur la table. »

Fondue ou non, on dirait que Charles prend goût au spectacle : il s'assoit sur le bord du bidet.

« Comment veux-tu qu'on sorte si tu restes là? dit Pauline. Surtout Cécile, avec son œdipe gros comme ça! Tu devrais appeler maman pendant qu'on s'habille. Tu me la passeras. J'ai quelque chose à lui demander. Vital! »

CHAPITRE XXXII

ET MOI, PERSONNE!

Béa est en grande forme. Elle s'amuse à comparer les gens à des fromages. Le comté, c'était fait pour la famille Moreau : cuisine familiale, trucs gratinés, béchamels, soufflés... « Pourquoi pas si on aime ? se défend Pauline. Et on n'a jamais empêché personne de rajouter du poivre et du vin. » Martin se voit rangé dans la catégorie des « coulants » : époisses, camemberts : du goût, de l'onctuosité. Il paraît qu'il peut prendre ça pour un compliment.

« Et toi ? Quelle catégorie ? demande papa à Béa.

— Roquefort, gorgonzola, bleu de Bresse.

— Je verrais plutôt un petit chèvre bien sec, dit Martin. D'une qui s'est battue jusqu'à l'aube contre le loup. On y laisse quelques dents mais une fois qu'on y a goûté, tous les autres vous semblent fades. »

Ça ressemble à une déclaration d'amour! Pas possible : il me semble que Béa rougit. Elle donne le change en se rabattant sur moi.

« Et Cécile ?

— Boursin au poivre, dit Pauline aimablement.

— Au piment... à l'ail.

— Pour Cécile, on n'est pas encore fixé, dit papa

189

en me souriant. Ça mûrit doucement, mais sûrement.

– Moi, je serai tout le plateau ou rien! Les étiquettes, ça ne me plaît pas. »

Evidemment, tout le monde s'esclaffe : pas question de penser que je puisse parler sérieusement.

C'est le bon moment : le fond du poêlon. Le fromage brunit le pain, le goût le plus intense, concentré. Tant pis pour les goulus qui se sont précipités : arrivés au meilleur, ils déclarent forfait. Le brise-mollet descend bon train : deuxième bouteille! Papa nage en plein bonheur : mission accomplie. Demain, il ramène la brebis égarée. Il fait le plan pour le trajet du retour. Nous démarrerons à l'aube : droit sur les sources de la Loue. Après le Président des sapins et l'Empereur des fromages, nous ne pouvons qu'aller nous prosterner devant la Reine des rivières.

Elle jaillit, paraît-il, en torrent d'un rocher, cascade de falaise en falaise, explose partout avant de couler, apaisée, entre bois et prairies. Qui a entendu parler de la « Vouivre »? La Loue est son repaire. Ce dragon ailé en sort une fois par an, la nuit de Noël, une escarboucle au front. Celui qui parviendra à s'en emparer sera le plus riche du monde.

Après la Loue, Charles a un autre projet : Saint-Claude, capitale de la pipe! Si nous l'y autorisons, il s'en offrirait bien un ou deux spécimens : aucune, paraît-il, n'a leur bouquet.

« Surtout si on y ajoute le bouquet de comté qu'elles auront à l'arrivée », plaisante Martin.

Puis droit jusqu'à *La Marette* où Pauline tient à embrasser maman avant de rentrer à Paris. Pourquoi, lors des bons moments, éprouve-t-on toujours ce besoin de regarder après : pour s'assurer que le bonheur continuera? Demain? Pas pressée d'y arriver...

Depuis un moment, Béatrice ne dit plus rien. Elle émiette son pain d'un air vengeur. Son père à elle n'est jamais venu la rappeler à l'ordre. Elle a toujours été libre et la liberté, quand on ne sait pas qui on est, c'est comme un trop grand soleil : cela aveugle.

Pauline se tourne vers elle :

« T'as pas intérêt à traîner trop longtemps dans le coin toi non plus, dit-elle. Il y a les photos à développer. Tu auras ton article sur Fabrice en fin de semaine. »

Béa en reste bouche bée.

« Comme girouette, tu te poses là. »

Pauline rit. Elle attrape son amie par les épaules et lui applique un énorme baiser sur la joue. Béa fait mine de la repousser avec horreur.

« Je ne mange pas de ce pain-là. Ce n'est pas parce que tu as été déçue par les hommes... »

Le poisson arrive à point pour nous éviter de tomber dans le mélo. C'est de l'ombre, pêché dans la Loue justement. En garniture, des chanterelles cueillies en bordure de forêt, dans les « pré-bois » où pâturent nos montbéliardes. Le Jura gardera ce goût pour moi : terre et eau vive.

Soudain, un grand souffle gifle la baie. « La Traverse », remarque Martin. La solitude, ça vient d'un coup, comme le vent. C'est la joue de Béa appuyée sur l'épaule de Martin. C'est la lumière qui s'appelle Paul dans le regard de Pauline. C'est aussi cette présence constante autour de mon père, derrière tout ce qu'il fait, sent, pense : une femme. Et moi personne ! Moi, toute seule.

« Reste avec moi. » Soudain, je voudrais que Tanguy soit là, quoi qu'il ait fait, même si je ne suis plus sûre de l'aimer. J'ai besoin que quelqu'un ait besoin de moi. J'en ai assez de fonctionner pour rien, tendue vers le vide, tirant mes boulets à blanc.

J'ai besoin d'un homme pour m'apprendre que je suis quelqu'un d'autre que la fille numéro quatre du docteur Moreau, surnommée la Poison, partagée entre envie et dégoût, entre élan et blocage, entre moi et moi. Ça doit être ça, ce qu'on appelle « l'âge ingrat » : lorsqu'on n'est encore personne. Mais entre « personne » et « grande personne », il y a juste un adjectif qui n'est souvent qu'un déguisement.

J'ai oublié de dire que tout à l'heure, j'ai perdu mon morceau de pain dans le poêlon de la fondue. Il est d'usage que celui qui le repêche ait droit à un baiser. Il fallait les voir tous se disputer, histoire de me faire plaisir. Mais les baisers fraternels, paternels ou amicaux, non merci! Je veux que m'emportent loin les lèvres d'un homme. Je veux, comme Pauline, dire « je l'aime » avec mon ventre aussi. Je voudrais que quelqu'un se sente seul sans moi, tout comme, sans le connaître, ce soir, je me sens seule sans lui.

CHAPITRE XXXIII

LE PACTE

Je me suis réveillée au milieu de la nuit : une soif horrible, le palais comme du carton. Quelque part, dans l'hôtel, une porte ou un volet claquait. A mes côtés, Pauline dormait : un souffle, une brise. Papa et Bernadette ronflent pour toute la famille! Je me suis levée sans bruit et j'ai commencé par aller boire deux grands verres d'eau dans la salle de bain. Minuit dix seulement! En bas, le bruit continuait, régulier : on attendait entre chaque coup et c'était exaspérant. Nous avons l'habitude à *La Marette*. Chacun compte sur l'autre pour se lever et régler le problème : résultat, tout le monde passe une nuit blanche.

Le couloir était éclairé par une veilleuse. Cela sentait l'hôtel : un tiers bois ciré, un tiers laine de tapis, un tiers relents de cuisine. Le meilleur serait, demain matin, l'odeur du café frais et du pain grillé réveillant tout ça. Au bout du couloir se trouvait l'escalier descendant dans le hall. A mi-étage, il y avait un palier avec un cabinet de toilette. C'était là! Le volet de la fenêtre. Je l'ai ouverte pour remettre le crochet. Le silence était comme un puits blanc où le vent tournoyait. J'ai refermé avant d'attraper la mort et j'allais regagner mes pénates quand j'ai remarqué une lumière en bas.

Elle venait du salon qui faisait aussi bar et salle de télévision : une lampe oubliée? Je suis une maniaque des économies d'énergie : j'y suis allée.

Un inconnu était assis dans un fauteuil, près d'une fenêtre. Vingt-cinq? Trente ans? A ses pieds, un gros sac à dos, une paire de chaussures de ski. Il avait des cheveux bruns, assez courts et hérissés comme s'il venait de les frotter pour les sécher, des yeux foncés. Il se penchait pour me regarder, ou plutôt, pour regarder Enrico-banana.

Enrico-banana, le héros du t-shirt qui me sert de chemise de nuit est, comme son nom l'indique, une banane. Sur le devant du vêtement, Enrico, à demi-sorti de sa peau, savoure la musique d'un orchestre de ses semblables, à l'ombre d'un palmier. Ajoutons que ce vêtement m'arrive à mi-cuisses et que, n'envisageant aucune rencontre, je n'avais pris la peine d'enfiler quoi que ce soit d'autre.

L'inconnu détaillait Enrico-banana dont le jaune phosphorescent devait signaler ma présence dans l'obscurité. Avant qu'il n'imagine avoir affaire à la folle du logis, j'ai dit :

« L'hôtel est fermé. »

Il est resté un instant bouche bée, puis il a souri :

« Mais alors, comment êtes-vous ici?

– Moi, c'est par amitié : on a fait une exception. »

Il a levé la main et balancé au bout de ses doigts une clef avec un numéro.

« Et si on en avait fait une aussi pour moi? »

J'ai compris mon ridicule. Tout ce qui me restait à faire était de retourner au plus vite cuver mon humiliation et mon brise-mollet dans mon lit. Mais pour cela il me fallait, décision héroïque, faire demi-tour, présenter à cet homme dont je voyais bien qu'il ne me prenait pas au sérieux, Enrico-banana, non moins phosphorescent, faisant sur mon dos, la cour à tout un régime de bananes pâmées.

Il a parlé avant que je me sois décidée.

« Est-ce que vous éprouvez la même chose que moi? Lorsque j'arrive dans un endroit nouveau, même si je le connais, j'ai toujours besoin d'un moment d'adaptation : les lieux aussi, ça s'apprivoise. Le meilleur moyen est de s'asseoir et de s'habituer, sans forcer; c'est ce que j'étais en train de faire.

– Je ressens toujours ça, ai-je dit. Même quand je rentre chez moi après un voyage, il me faut un petit moment pour me sentir bien. Pourtant, je connais par cœur chaque millimètre de la maison.

– Et ici? Vous y êtes depuis longtemps?

– Nous sommes arrivés ce matin, et nous repartons demain dès l'aube. Ça me semble mal parti pour l'apprivoisement. »

La traverse a cinglé la fenêtre. Dans la forêt, que j'avais déjà envie d'appeler « ma » forêt, elle devait balayer les derniers paquets de neige sur les branches, ployer le faîte du « Président ». Demain, j'en serais loin. Son spectacle gonflerait le cœur d'autres promeneurs : elle serait profonde, et haute, et majestueuse sans moi. J'ai eu comme un écœurement : je n'avais pas envie de rentrer, retrouver mes cours, Mélodie, Tanguy, ma vie. Impossible. Une indigestion de tout ça! J'ai essayé de respirer à fond et cela a fait un drôle de bruit. Par moments, l'air ne passe plus.

« Qu'est-ce qui ne va pas? » demanda l'inconnu.

Alors là, l'étouffement complet! mais c'était la dernière phrase à me dire. Je les attendais depuis des semaines, ces mots. J'aurais pu les espérer de ma mère, mon père ou Pauline. Mais non! La

« Poison », ça ne pouvait qu'aller! Si elle avait des problèmes, elle les réglait vite fait. Tout est remonté en tempête. Je ne savais pas que je portais un tel poids! Que j'étais si malheureuse.

« Ça va tout à fait bien, ai-je dit. Si vous me voyez là, c'est simplement à cause d'un volet de malheur qui m'a réveillée. Ajoutez le brise-mollet...

– Pour le brise-mollet, j'ai ce qu'il faut! »

Il s'est penché; il a sorti un tube de son sac, puis il est venu derrière le bar. Apparemment, la maison n'avait pas de secret pour lui. Il a rempli un verre d'eau.

« Avalez-moi ça! »

J'ai obéi. Je buvais à petites gorgées pour gagner du temps. Je n'avais toujours pas fait un pas; j'étais toujours à la même place, à l'entrée du salon. Il est retourné à son fauteuil. Il avait surtout un regard! On avait l'impression qu'il s'intéressait vraiment à vous. La voix allait avec le regard.

« Est-ce que je peux vous proposer quelque chose? »

Il y a eu un nouveau remous dans ma poitrine. J'ai fait « oui » de la tête : « Oui, peut-être.

– Si j'ai bien compris, vous repartez demain matin. Ceci veut dire que nous ne nous reverrons jamais. Je ne saurai jamais votre nom, ni vous le mien. Il n'y aura eu entre nous que ce moment, c'est tout. »

J'ai acquiescé : eh bien, oui, ce moment! Un peu plus que l'étranger croisé dans la rue, ou que l'inconnu assis en face de vous dans le métro. Et puis après?

« Alors, si cela peut vous faire du bien, servez-vous de moi. »

J'en ai eu le souffle coupé : me servir de lui? Mais comment?

Il a appuyé la main sur sa poitrine, à l'endroit où,

si souvent, la respiration se bloque et parfois c'est vraiment douloureux.

« Ouvrez les vannes! »

J'ai détourné les yeux. Cela recommençait : l'embouteillage dans la poitrine, la gorge obstruée. Prochaine étape : déferlement par les yeux.

« Avant de me servir de vous, il faudrait déjà que je sache me servir de ma propre personne », ai-je plaisanté.

A la maison, tout le monde aurait ri et l'affaire aurait été classée. Il n'a même pas eu un sourire.

« Vous ne voulez vraiment pas vous asseoir? »

J'ai hésité. M'asseoir, en un sens, ce serait une défaite : céder. En un autre, une victoire : sur mon respect humain. Il regardait ailleurs pour me laisser libre de mon choix. J'avais également la solution de disparaître : en trois minutes, je serais dans mon lit.

Comme dans tous les salons d'hôtel, il y avait des cercles de fauteuils autour de tables rondes. J'ai choisi le cercle voisin du sien et j'ai allumé ma lampe pour dire que j'étais prête.

« Un jour, a-t-il raconté, j'avais quinze ans et ça n'allait vraiment pas, j'avais même plutôt envie de mourir je crois, ma route a croisé celle d'un inconnu. Nous avons parlé. Je savais que je ne le reverrais jamais. Cela m'a permis de lui dire certaines choses. C'est tout. Cela m'a aidé.

– Je n'ai plus quinze ans, ai-je dit. Je n'ai pas envie de mourir du tout. Je suis sûre que je vivrai très vieille, gavée de soufflés au fromage, au coin du feu, seule avec mes regrets. »

J'avais essayé de parler avec du rire dans la voix, comme les filles, à la radio, mais le résultat a été catastrophique. Et puis pourquoi? Il ignorerait toujours que je m'appelais la « Poison » et que je ne prenais rien au sérieux; en tout cas, pas moi.

« Je crois que ce que je voulais dire, c'est que j'ai vraiment envie de vivre, mais que je ne sais pas très bien ni pourquoi, ni comment. Tout à fait banal, je suppose.

– Dans la vie, les choses les plus banales sont souvent aussi les plus importantes... par exemple, ce besoin d'aimer que nous avons tous! »

J'ai regardé en direction du lac. On ne pouvait pas le voir mais je sentais sa ville engloutie, comme un ancien amour. En parlant d'aimer à une fille de mon âge, il ne risquait pas de se tromper.

« Pour ça aussi, on peut ne pas savoir comment, ai-je dit. Et parfois on a tellement besoin d'aimer en effet, qu'on peut se tromper complètement... et causer un sacré gâchis. »

J'avais eu un mal de chien à sortir ça; surtout le mot « amour ». A peine un filet d'air dans ma gorge. J'ai toussé pour dégager. Il s'est levé à nouveau mais, cette fois, cela a été pour venir mettre son blouson sur mes épaules.

« Une grippe sur du brise-mollet, c'est fatal! »

Je suis parvenue à rire. Son blouson était doublé de mouton, très doux, très chaud. J'ai ramené les pieds sur mon fauteuil et je les ai recouverts avec Enrico-banana. Il attendait.

« Depuis que je suis petite, j'ai envie d'aider les gens, ai-je dit. Le vrai saint-bernard! L'ennui, c'est que je les choisis mal, paraît-il. Et finalement, je mets tout le monde dans de sales draps. »

Il a dit :

« Vous avez l'air d'avoir peur? »

J'ai mis un moment à répondre. Ça aussi, en un sens, c'était la dernière chose à me dire, celle qui allait le plus loin, mais il ne pouvait pas le savoir.

« Je connais un type complètement seul. Il a fait de grosses bêtises : plus que des bêtises même, mais ça, je ne l'ai pas découvert tout de suite. Les gens diraient que c'est un salaud. Ce qu'ils ne savent pas, c'est qu'un salaud regardé dans les yeux, ça ne ressemble pas du tout à un salaud décrit dans les journaux. Je suis quasiment allée le chercher : il ne me demandait rien. Mais le jour où il m'a demandé de l'aider, salut! Et si ça se termine mal, on pourra désigner la coupable.

– Comment craignez-vous que cela se termine?

– La mort, peut-être, ai-je dit. Et moi, je ne sais pas quoi faire. »

Il a réfléchi un moment. Il regardait ses chaussures de ski, posées devant lui, très hautes : le genre qui donne des crampes effroyables.

« La vie, a-t-il dit, c'est une succession de choix : en somme, ce sont là nos chemins. Et parfois, c'est vrai, on ne sait pas lequel prendre.

– Ou je le lâche complètement, j'efface, j'oublie, ça, c'est la facilité, la prudence. Ou j'essaie de l'aider, qu'il le veuille ou non, au moins je l'empêche de recommencer ses bêtises : ça doit être le courage... »

Je me suis interrompue. La tempête montait. Je voyais Mme Lamourette, toute petite-recroquevil-lée, les larmes sur ses joues, molles comme de la flanelle. J'ai vu aussi Grosso-modo à côté de Coing, sur la photo.

« Ou je le dénonce avant qu'il recommence. »

J'ai appuyé mon front à mes genoux. Je l'avais dit. Je l'avais arraché de moi, ce mot, et maintenant j'avais envie de crier un bon coup. Parce que j'étais une salope de ne pas avoir dénoncé Tanguy après ce qu'il avait fait : voler à une pauvre vieille toute la fin de sa vie, rien que ça, tout le bonheur qui lui restait. Et moi, je croyais laver ça avec une bouteille de champagne? Mais en donnant Tanguy, je serais aussi une salope : il m'avait demandé d'être l'*Autre*. J'étais peut-être tout ce qui lui restait.

J'ai entendu la voix de mon inconnu, comme de loin.

« Tout à l'heure, vous disiez que vous ne saviez pas très bien comment vivre, ni pourquoi. On vit par ses choix, en ayant le courage de les faire. En les assumant. »

Je me suis un peu servie d'Enrico-banana, puis j'ai relevé la tête. Mon confesseur s'était levé. Debout contre la baie, il regardait dehors pour ménager ma pudeur.

« Je ne sais pas lequel faire.

— Je ne peux pas vous le dicter. Il doit passer par le fond de vous-même.

— Et si, au fond, c'est la purée?

— Ne l'est-ce pas déjà un peu moins?

— Et si je fais le mauvais choix?

— Vous tirerez le bien du mal. »

Une heure a sonné à la grande pendule de bois sculpté. Du sapin? En cherchant un peu, je suis sûre que mon père aurait trouvé dans le coin la « Présidente » des pendules! Lorsque l'aiguille aurait fait six tours de plus, nous nous lèverions, Pauline et moi. Elle demanderait : « Bien dormi, Poison? »; et je répondrais « oui », avec comme un sourire en moi. J'ai pensé que ce moment resterait précieux dans ma vie. Je n'en parlerais à personne pour ne pas qu'on me persuade que je l'avais rêvé.

« Merci, ai-je dit. Finalement, vous aviez raison. Ça n'allait pas si bien que ça! »

Il a souri.

« Ne me remerciez pas. Je suis simplement tombé au bon moment : celui où ça débordait. Ça commençait à se voir, figurez-vous! »

Dans le regard de Tanguy, d'un bleu si particulier, parfois si dur, il y avait à la fois un appel et un refus : le « non » d'avance à l'autre. Le regard de mon inconnu était comme une invitation : on s'y lisait soi-même à côté de lui. J'ai eu envie de lui demander d'où il venait, son nom, son âge, ce qu'il faisait, comment il était là; mais ce n'était pas dans notre accord.

« Si ça déborde aussi pour vous, ai-je dit, vous pouvez y aller. A votre disposition! »

A nouveau, il a souri.

« Des rencontres comme celle-là, ouvrent les vannes des deux côtés : elles prouvent que le dialogue existe, sans compter la magie. »

...Le Président, la Vouivre, la Femme du lac et son enfant... Lequel d'entre eux avait décroché le loquet du volet afin de m'attirer ici? Tout bas, j'ai dit merci aux trois : je ne risquais rien.

« Ça va?

— Ça va. »

Il me semblait peser plus lourd dans le fauteuil : peser mon poids. Je crains d'avoir bâillé.

« Vous devriez aller vous coucher, a-t-il dit. Il ne faut jamais forcer la magie.

— Je sais. »

On tire dessus et, au bout, on retrouve la vie. J'ai fermé une seconde les yeux. Je suis descendue dans mes chemins profonds. C'était encore à vif, mais j'y voyais plus clair : on aurait quand même dégagé un peu le terrain tous les deux.

Les larmes sont montées : je pouvais les laisser couler. Parfois, à ski par exemple, on se trouve devant une piste vraiment trop dure pour soi. On est sûr et certain de se casser la figure. Ce n'est pas forcément par lâcheté qu'on en choisit une autre. Le moment difficile à passer, c'est de s'avouer qu'on n'a pas les moyens. Pour Tanguy, je n'avais pas les moyens.

« Alors? a-t-il dit.

— Je crois que je viens de faire mon choix. Dites-moi que j'ai raison ou je dors là! »

– Vous avez raison », a-t-il dit.

Je me suis levée. Son blouson ouvert restait collé au dossier du fauteuil : j'y ai laissé mon fantôme. Il était penché en avant et me regardait comme s'il voulait se souvenir de moi. J'avais envie de tricher, au moins de dire mon nom : lui, il ne mettrait pas la « Poison » à côté.

Arrivée à la porte, je me suis retournée :

« Votre inconnu, vous ne l'avez vraiment jamais revu?

– Jamais!

– Et vous n'avez pas regretté? »

Il a secoué la tête.

« Rappelez-vous... la magie... »

CHAPITRE XXXIV

ÂMES SENSIBLES

Nous arrivons à cinq heures à *La Marette*. Il pleut. Je galope ouvrir la grille : quatre voitures dans la cour : celle de Stéphane et Bernadette, celle d'Antoine et Claire. Tiens! La Mercedes des Saint-Aimond! Aurions-nous de la visite? Il leur arrive de plus en plus souvent de passer le dimanche, boire une tasse de thé, déguster une tranche de quatre-quarts et essayer de distinguer l'une de l'autre leurs jumelles bien-aimées. Au début, ils téléphonaient pour demander la permission; maintenant, ils débarquent. C'est bien : c'est l'amitié!

Il y a aussi une voiture de sport, faite sur mesure pour patte raidie. C'est celle-là que fixe Pauline et sa main se crispe sur la poignée de la portière. Elle n'a pas revu Paul depuis que, malgré elle, il est parti en tournage avec Nina Croisy. C'est bien beau, de loin, le courage : au pied du mur, la peur vous attend. Elle devait penser qu'il serait plus facile de retrouver Paul à *La Marette* : voilà ce qu'elle a demandé à maman, hier, au téléphone. Maintenant, elle ne peut plus.

« Remonte, Cécile, ordonne Charles. J'ai une idée. »

Je reprends place dans la voiture. Au lieu d'entrer

dans le jardin, il va se garer un peu plus loin. Il se tourne vers nous.

« On leur fait la surprise avec le comté. Vous allez m'aider, les filles! »

Nous quittons la voiture en évitant les bruits de portière. Pauline a remis bonnet et écharpe. Papa ouvre le coffre, et nous tentons de sortir le fromage. Il a transpiré dans son plastique : un vrai savon.

« On n'y arrivera jamais! »

Pauline se redresse. De la détresse dans ses yeux fixés sur papa. Nous lisons : « Pour Paul, je n'y arriverai jamais! »

« Trop tard pour reculer », déclare papa avec un grand sourire.

Il se tourne vers la maison des Tavernier. J'ai compris. J'y vais!

Grosso-modo est en plein rugby devant sa télévision. Les prolongations. Sous les encouragements du public, des bonshommes terreux, aux visages ensanglantés, se tabassent pour un ballon : à chacun sa façon de communiquer. Dès qu'il me voit, Tavernier appuie sur le bouton : exit Fouroux! En avant pour les trois baisers réglementaires.

J'annonce :

« Papa a besoin de vous pour porter un fromage; c'est urgent! »

Il est déjà dans son jardin. Cela fait chaud au cœur de marcher à côté de lui. Je frôle sa manche, mine de rien; j'ai toujours besoin de toucher ceux que j'aime. Pauline, elle, elle les respire. Au passage, je confie à notre voisin qu'on lui a rapporté une surprise. Mais attention : je n'ai rien dit! Il fronce le nez en arrivant près de la voiture :

« Votre fromage, il est à point! »

Nous aussi alors, puisque nous ne sentions plus rien. Simple détail : on ne pourra plus jamais nous en faire manger!

Les femmes laissent les hommes sortir le putois du coffre. Puis, portant chacun notre quart, nous traversons le jardin. Il n'en peut plus, le pauvre : de ses allées boueuses, son herbe massacrée, ses arbres trop sombres aux branches trop lourdes, son bassin qui déborde, il crie grâce. Phare dressé sur l'inondation, la maison avec ses trois fenêtres éclairées : deux au salon, une à la cuisine. Derrière les voilages, ça grouille.

Moment délicat pour ceux du bas lors de la montée du perron. J'ai la bête sous le menton. En tout cas, Pauline n'a plus la possibilité de nous lâcher! J'annonce :

« Deux morts sous un fromage. »

La voilà prise de fou rire. C'est nerveux.

Le cap de la porte d'entrée est passé. Ça parle et rit fort au salon où, apparemment, nul n'a flairé notre arrivée. Papa tourne la poignée, pousse la porte du pied et, comté en poupe, nous faisons notre entrée triomphale.

D'un même mouvement, tout le monde se lève : les adultes côté cheminée, les enfants, armés de pinceaux et crayons de couleur à la table de la salle à manger.

« Chaud devant! » crie papa en se frayant un chemin, suivi à grand-peine par ses ailiers.

Le moment de stupeur passé, on ne s'entend plus. Quelqu'un a la bonne idée de balayer ce qui se trouve sur la table basse afin que nous puissions y poser nos six cents livres de lait transformé. Il était temps. C'est parti pour les embrassades.

Du côté de la cheminée, Paul n'a pas bougé. Il regarde sa femme comme s'il voulait la laisser décider. Elle regarde ailleurs comme si elle ne s'en sentait pas la force. Jumelles et Gabriel sont venus se mêler à la fête. Ils prennent les jambes de leur grand-père pour un arbre, essayant de se hisser jusqu'aux branches supérieures et Charles, occupé à baiser la main de Mme de Saint-Aimond, s'écroule quasiment dessus.

« Bizarre, bizarre, ce parfum que vous dégagez tous », remarque plutôt gentiment la « Princesse » qui colle son mouchoir sur son nez.

Maman vient embrasser Pauline, toujours cachée sous bonnet et écharpe. M. de Saint-Aimond prend le relais :

« Il faudra nous raconter ce reportage! »

Les lèvres de ma sœur tremblent. Il trouve le moyen d'ajouter :

« Mais avouez que c'est bon de retrouver la famille.

– Surtout pour les âmes sensibles », intervient Bernadette en entraînant son beau-père plus loin.

Les Saint-Aimond n'ont pas été mis au courant de la situation : principe de grand-mère : « Plus on ébruite les peines de cœur, moins on a de chances de pouvoir recoller les morceaux. »

Je vois Benjamin en même temps que Pauline. Tel père, tel fils : lui non plus n'a pas bougé. Collé à la table de la salle à manger, son pinceau à la main, il attend, pétrifié, la suite des événements. Son regard va de sa mère à son père, avec cette expression trop sérieuse qui vous donne envie de le secouer. Pauline le regarde, et soudain son visage se crispe. Elle tire de son sac une énorme paire de lunettes noires dont elle recouvre vite ses yeux.

Alors, quand même, Paul se décide! Il vient vers elle. Je décris le spectacle au ralenti : cela ne doit pas faire beaucoup plus de cinq minutes que nous avons passé la porte avec notre produit du cru. Paul vient vers sa femme qui aurait plutôt l'air d'être sa fille, toute tremblante et perdue. Il s'arrête devant elle. Il ne la prend pas dans ses bras comme on aurait pu s'y attendre. Il tend la main et enlève ses lunettes. Inutile d'aller jusqu'aux sources de la Loue pour voir couler des torrents d'eau.

Nous nous tournons d'un autre côté. L'attention des Saint-Aimond est heureusement sollicitée par Mono et Zygote qui font un concours à qui donnera au fromage le plus long coup de langue. Mme de Saint-Aimond tente d'expliquer que la croûte n'est pas comestible. Désespoir des jumelles qui lui trouvaient fort bon goût. On fait semblant de s'intéresser mais on a tous des yeux derrière la tête. Paul a posé ses lèvres sur les paupières serrées de Pauline : l'une, puis l'autre. Une fois cette bonne chose faite, il déroule son écharpe, fait glisser la fermeture de l'anorak. On ose espérer qu'il se souviendra de l'endroit où il est; au cas contraire, en un grand mouvement-paravent, la famille se déploie entre les Saint-Aimond et notre jeune ménage. Maintenant, il retire l'anorak de Pauline. Ils n'ont toujours pas prononcé un mot. Leur silence devient inquiétant. Les parents de Stéphane commencent à se dévisser la tête.

Avec une fougue subite, papa entreprend de décrire par le menu à M. de Saint-Aimond la fabrication des pipes sanclaudiennes. Nous entendons avec stupeur, maman demander à Mme de Saint-Aimond des nouvelles de sa mère, morte il y a trois ans. Enfin, après une éternité qui doit bien durer deux ou trois minutes, Paul et Pauline se détachent l'un de l'autre. Lui, prend sa femme par les épaules; elle, prend son mari par la taille et ils vont vers leur fils, saisi d'hystérie, qui rit et pleure en même temps, et court se cacher derrière la table jusqu'à ce que Pauline l'attrape, le soulève dans ses bras pour l'y jucher, à hauteur de baisers, de retrouvailles : à hauteur d'adulte. Enfin, passons!

Nous ne sommes pas encore tout à fait au bout de nos émotions. Personne n'avait remarqué la disparition de Grosso-modo. Il revient, tout intimidé, portant deux bouteilles grises de poussière. Le Jura, il connaît lui aussi. Il y a été et, si nous permettons, il nous offre, pour accompagner le comté, du vin qu'il en a apporté : du vin d'Arbois. On l'appelle aussi « brise-mollet ».

CHAPITRE XXXV

UN CERTAIN TANGUY

Nous nous apprêtions à refermer la grille, papa et moi, après le départ des derniers, quand nous vîmes, dans le chemin, s'approcher Cadillac et Ferré. Ils semblaient très excités : enfin, nous étions là! Il y avait du nouveau.

Cela s'était passé hier soir, vers dix-neuf heures. Des gens de Mareuil avaient remarqué de la lumière dans la maison des Belon : une maison de week-end occupée seulement aux beaux jours. Cette lumière, sans doute celle d'une lampe de poche, se baladait au rez-de-chaussée. Ils avaient aussitôt averti l'association. C'était la première fois que celle-ci entrait en action, et tout s'était passé à la perfection : dix minutes après l'appel, une dizaine de gars décidés se déployaient en silence autour de la maison. Pendant ce temps, quelqu'un alertait la gendarmerie.

Hélas! malgré leurs précautions, le voyou avait dû les repérer car il leur avait filé sous le nez, sur sa moto garée à l'arrière du jardin. Il s'agissait d'un jeune : ça ils pouvaient l'affirmer bien qu'ils n'aient pu voir qu'une partie de son visage caché jusqu'aux yeux par un foulard.

« Il n'a rien eu le temps de voler, dit Cadillac. Sauf une arme : un revolver.

— On se demande si ça ne serait pas le même gars que pour Mme Lamourette, dit Ferré.

— Chez Mme Lamourette, ils étaient deux », fis-je remarquer.

J'avais eu du mal à parler. Un revolver... Ferré me regarda d'un air étonné.

« Ils n'opèrent peut-être pas toujours ensemble, dit-il. En tout cas, cette fois, grâce à nous, la police a une piste.

— Quelle piste ? »

Ils se tournèrent tous les trois vers moi. Heureusement, on ne pouvait pas bien distinguer les visages ; il n'y avait, comme éclairage, qu'un vieux lampadaire qui donnait une lumière très faible, orangée : un peu une lumière de scène.

« On a eu le temps de relever le numéro de la moto, expliqua Ferré. Ce serait un jeune de la ville nouvelle et tout ça aurait un lien avec l'incendie du théâtre, il y a huit jours, vous vous rappelez ?

— Quel lien ? »

J'aurais mieux fait de me taire, je le savais bien, mais impossible. C'était plus fort que moi. Et c'était aussi comme si une autre parlait à ma place, vivait tout cela. Quand je les avais vus s'avancer vers nous, j'avais su tout de suite. Ils allaient parler de Tanguy. Quelque chose s'était mis en marche, dont je faisais partie, que je ne pouvais plus arrêter.

Papa se pencha vers moi :

« Mais qu'est-ce qui t'arrive, Cécile ? Tu joues les détectives, maintenant ? Ça ne t'a pas suffi, ton histoire de Mobylette ? »

Cela me fit très mal, mais je parvins à sourire.

« Je connais ce théâtre. J'y suis allée deux fois, tu ne te rappelles pas ? J'ai même apporté des sorbets à la troupe qui y jouait.

– Vous n'irez pas une troisième, dit Cadillac. C'est fini, tout ce bataclan. D'ailleurs, il paraît qu'il n'y avait pas un chat et ça ne valait pas grand-chose!

– Moi, j'ai aimé, dis-je. J'ai beaucoup aimé. Dommage que les gens n'aient rien compris. »

Il y eut un silence. Cadillac semblait vexé et mon père mécontent. Il leur proposa d'entrer un moment à la maison, mais ils refusèrent. Ils avaient encore deux ou trois personnes à avertir dans le coin. Ils craignaient que le salaud ne revienne. Cette fois, ils ne le louperaient pas.

« Après ce qui est arrivé, comment voulez-vous qu'il revienne? remarqua mon père. Il doit être déjà loin.

– Pas sûr, dit Cadillac. On dirait qu'il cherche quelque chose dans le coin. Quelqu'un affirme l'avoir vu cet après-midi : mais sans sa moto, cette fois. »

Nous nous serrâmes la main, et ils repartirent. Ils marchaient très près l'un de l'autre en continuant à parler avec animation et faisant de grands gestes. En un sens, ils semblaient plutôt contents de cette histoire. Je revoyais les visages ensanglantés des joueurs de rugby et la foule qui applaudissait.

« Qu'est-ce qui t'a pris? demanda papa. Même si tu as aimé cette pièce, ça ne te dispense pas d'être polie. »

La pluie avait cessé et, du jardin, montaient comme des milliers d'étincelles noires. Maman mettait de l'ordre dans la cuisine, où les petits avaient bu un chocolat et mangé de la brioche avant de rentrer chez eux, ce qui permettrait aux mères de les mettre directement au lit. Pratique, *La Marette*, comme résidence secondaire! Seul impôt prélevé : un maximum d'affection. Ma mère avait un visage heureux : elle avait fait le plein aujourd'hui.

« Maintenant que Pauline est rentrée, on va peut-être enfin pouvoir souffler », dit-elle.

Je m'assis devant la table. Ça n'allait pas! J'avais toute la « traverse » dans le corps. Et si c'était moi que Tanguy cherchait? Maman me tournait le dos. Elle passait à l'eau les bols des enfants : chacun avait le sien marqué à son nom. Ils le connaissaient bien; il n'aurait pas fallu se tromper dans la distribution.

« Je monte, avertit papa en passant la tête. Avis aux amatrices.

– Elles te suivent », dit maman.

Je pliai mes bras sur la table et y enfouis ma tête. A la saignée du coude, cela sentait l'enfance.

« En voilà une qui m'a l'air d'avoir bien besoin de son lit, dit maman. Ça devait être fatigant, ce voyage!

– Surtout la nuit dernière, dis-je. Je l'ai passée à discuter. »

Elle ne me demanda pas de quoi, ni avec qui. Elle aussi était fatiguée; et elle devait avoir hâte de retrouver son mari qu'on entendait chanter *Le Temps des cerises* dans la salle de bain, signe que tout allait bien.

Il lui resta quand même assez de forces pour me parler de mes études. Elle avait remarqué un net relâchement ces temps-ci. J'en convins. Elle ne chercha pas à savoir s'il y avait une raison.

Comme nous montions l'escalier après avoir vérifié les lumières, le gaz, les braises, elle se retourna vers moi :

« Un certain Tanguy est passé hier après-midi. Il voulait te voir. Je lui ai dit que tu rentrais ce soir. Dors bien. »

CHAPITRE XXXVI

ARRÊTER LA MORT

DORMIR? Mais comment? Avec cette peur au ventre, ce poids énorme dans ma poitrine : sensation que le monde s'était arrêté, retenait son souffle avant l'explosion. C'était bien cela qu'avait dit Bernadette en parlant de lui : « Un beau paquet qui fait tic tac et qui va t'exploser à la gueule! » Et au lieu de l'écouter, j'avais dit à Tanguy : « Viens à la maison; il y a de la place pour toi. » Et il était venu! Et, à Mareuil, tout le monde l'attendait : la police, l'association. Et ce soir, où était-il? Et demain?

Oublier... effacer... La nuit dernière, j'avais cru ce choix possible. C'était déjà trop tard. La vie m'attendait au tournant. Ce que les gens appellent « la vie » quand ça va mal : le côté tunnel, terminus, cul-de-sac. On n'est libre de ses chemins qu'un petit moment : un pas de trop dans la mauvaise direction et c'est fichu. « Tirer le bien du mal... » Mais comment?

Première solution : l'oublier. Deuxième : l'aider. Troisième, tout dire : descendre voir les parents, les réveiller : « Je connais le tortionnaire de Mme Lamourette. Celui qui a brûlé le théâtre. Celui qui était hier chez les Belon. Je l'ai invité à venir ici. Il me cherche. » Quel choix feraient mes parents? Le silence? La police? L'association de protection mutuelle?

Il faisait encore nuit quand je me levai. Et la pluie toujours, et le vent : l'hiver est un puits. Là-bas, à une journée de route même pas, dans un village au clocher arrondi dont certains toits venaient toucher le haut des fenêtres, près des sommets blanchis d'une forêt, devant le regard profond d'un lac, il y avait un hôtel. Et dans cet hôtel qui ressemblait à ceux dont on rêve lorsqu'on n'en peut plus, que l'on étouffe, qu'on a envie de courir, mais on ne sait où, il y avait un homme qui avait su me lire. Il avait demandé : « Qu'est-ce qui ne va pas? » Personne ne me poserait cette question aujourd'hui. Et si jamais ils essayaient, je saurais bien les en empêcher.

Mélodie m'attendait à Pontoise, devant le portail du collège :

« Alors, raconte? Ta sœur est rentrée? Vous l'avez ramenée? »

Oui, nous l'avions ramenée et elle allait bien. Je lui raconterais ça plus tard. Il était l'heure d'aller travailler.

C'était un cours de psycho : cela m'avait plu, la psycho! J'avais même, pendant quelques jours, été amoureuse du professeur parce que j'imaginais que son métier lui avait appris à déchiffrer les âmes. Mais quand je lui avais parlé, j'avais constaté qu'il était pareil aux autres : tourné vers la sienne pour commencer. Il parlait avec calme, habitude. Il parlait de haut comme font ceux qui, pour l'instant, ne souffrent pas. « Certains enfants, disait-il, étaient vides de tout espoir, assurés de leur mort prochaine; alors, ils faisaient tout pour la hâter. » On n'entendait pas un souffle, seulement des bruits de papier. A mes côtés, Mélodie soulignait à la règle, au crayon rouge, les phrases les plus importantes. Mais tout était important, vital, urgent. « Vides de tout espoir... assurés de leur mort prochaine... » Je me levai.

« Mais qu'est-ce qui te prend? souffla mon amie. Où vas-tu? »

Je rassemblai mes dossiers, les mis dans mon sac. Mon cœur battait très fort. « Vide de tout espoir. » Il avait posé la tête sur mon épaule et supplié : « Reste. »

« Mais tu es folle? Tu n'as pas le droit. »

Je traversai la salle. Le professeur s'était interrompu : toute la classe me regardait. « Assurés de leur mort prochaine, ils faisaient tout pour la hâter... »

La pluie avait peint en noir les murs de la ville nouvelle. A *La Marette*, la terre buvait l'eau : ici, elle ne trouvait nulle part où s'enfoncer. Elle s'étalait en flaques entre les maisons; elle courait le long des trottoirs, c'était lamentable. La moto de Tanguy n'était pas devant son immeuble. Dans le vestibule, toutes les boîtes aux lettres avaient été forcées; il y avait des monceaux de prospectus par terre. Sa porte était fermée à clef. Je frappai : il n'y eut pas de réponse. J'appelai en vain. Peut-être était-il retourné chez ses parents? Peut-être n'était-ce pas lui qui s'était introduit hier chez les Belon? Mais les « peut-être », je n'y croyais plus : une excuse pour ne pas faire ses choix.

Comme je redescendais l'escalier, deux hommes sortirent de l'ombre : « Police! » Je m'immobilisai. Ma tête tournait. Je m'attendais à quelque chose comme ça. Ils allaient m'arrêter, me passer les menottes. « Nous avons quelques questions à vous poser », dirent-ils.

Je les suivis jusqu'à leur voiture, qu'ils avaient garée derrière l'immeuble. A leur demande, je montrai ma carte d'identité : étudiante, père médecin. J'habitais Mareuil. Ils échangèrent un regard :

Mareuil? Je pouvais lire dans leur pensée : Mme Lamourette... Les Belon...

Ils me demandèrent si je connaissais bien Tanguy Lefloch. Pourquoi étais-je venue le voir? M'avait-il donné rendez-vous?

Je m'entendis répondre que je le connaissais à peine. Je l'avais juste vu deux ou trois fois au théâtre. J'étais passée lui dire bonjour, comme ça : non, nous n'avions pas rendez-vous.

« Et ces derniers jours, vous l'avez vu? »

Ces derniers jours, j'étais en voyage : Malbuisson, Jura. Ils pouvaient vérifier.

Leurs voix s'adoucirent. Ils me croyaient. Cela devait sauter aux yeux que j'étais une gentille petite bourgeoise sans histoire. D'ailleurs, pour finir, ils me conseillèrent de me méfier : Tanguy Lefloch était peut-être mêlé à une sale histoire. Avais-je eu l'impression qu'il se droguait?

« Je ne crois pas », dis-je.

Comme je remontais sur ma Mobylette, l'un d'eux me demanda où était mon casque : je l'avais oublié! Il me dit que, pour cette fois, il fermerait les yeux. Je lui souris. Je me dégoûtais.

En roulant vers *La Marette*, je sentais ma liberté posée sur mon épaule, comme un oiseau, peut-être une colombe, à la fois précieuse et fragile. J'étais venue ici avertir Tanguy qu'il était en danger. Il était passé chez moi hier. Il y avait un témoin : ma mère. Je savais ce qu'il avait fait, et je ne l'avais pas dénoncé. Cela s'appelle être complice.

La première fois que j'avais senti l'odeur de la mort, j'avais onze ans. C'était auprès d'un ami atteint de leucémie : Jean-Marc. Plus tard, j'avais retrouvé cette odeur près de Gabriel : un autre garçon que je n'avais pas été fichue de sauver. C'est une odeur, et c'est un vide : la vie perd ses couleurs, les bruits ont un drôle d'écho qui vous répond du fond de l'inconnu.

On apprend, en psycho, qu'il y a en chacun de nous des forces de vie et des forces de destruction. Dans la majorité des cas, les forces de vie l'emportent. Est-ce que j'attirais la mort ? Est-ce que, sans le savoir, je la cherchais ?

Elle était là, dans ma poitrine, tandis que je roulais vers *La Marette* : je la reconnaissais. Et comme pour Jean-Marc, comme pour Gabriel, il me semblait que je ne pourrais pas l'arrêter.

CHAPITRE XXXVII

ELLE : MA MÈRE

« JE t'attendais », dit maman.

Elle me saisit par le coude, m'entraîna dans le salon, referma bruyamment la porte.

« Assieds-toi! »

C'était un ordre. Je pris place sur le rebord d'une chaise; elle choisit le fauteuil de Charles, en face de moi. Elle n'avait plus l'air si jeune : un visage dur, fatigué.

« D'où viens-tu?

– De mon école... un prof absent... »

J'avais peur. Que s'était-il passé? La police? Tanguy?

Elle me regarda quelques secondes en silence, avec pitié.

« Ta directrice a appelé : tu as quitté ton cours en plein milieu, sans t'excuser, et maintenant tu mens. »

Je respirai : elle ne savait rien.

« J'en ai eu assez, dis-je. Toutes ces phrases... tous ces mots qu'on aligne et pendant ce temps, la vie...

– La vie, c'est aussi de respecter les autres, dit ma mère d'une voix frémissante. C'est de savoir de temps en temps prendre les choses au sérieux. Il paraît que ce n'est pas la première fois que tu sèches. Tes notes sont médiocres. Tu es agressive, insolente : ils ne sont pas sûrs de te garder!

— Ça tombe bien, dis-je. Moi, je n'étais pas sûre de rester. »

Je venais de m'en rendre compte : je ne voulais plus retourner là-bas. Maman prit une longue inspiration. Elle faisait un effort pour rester calme : je le voyais aux tendons de son cou. En un sens, j'aurais préféré qu'elle crie.

« Qui a voulu faire ces études? demanda-t-elle entre ses dents. Qui a choisi cette école? Qui nous jurait il y a seulement trois mois que c'était là, « sa » voie?

— Moi, dis-je. Je le reconnais. Et je reconnais que j'ai eu tort. On n'apprend rien dans cette baraque.

— Peut-être crois-tu apprendre davantage en tendant des pièges avec la Mobylette de ton amie? » persifla maman.

Cela me fit mal. Elle ne comprenait rien. Elle ne cherchait même pas à comprendre. Quand nous étions toutes les quatre à la maison et qu'elle était mère à plein temps, elle savait mieux écouter. Claire avait pu lui dire sans qu'elle en fasse une maladie, qu'elle était enceinte et ne voulait pas se marier; elle avait compris quand Pauline avait aimé un vieux. Elle avait le temps. Elle avait l'envie.

Elle se leva. Le sang était monté à ses joues; cela lui arrivait souvent, ces temps-ci : bouffées de chaleur. Il ne nous manquerait plus que ça : la ménopause! Elle ouvrit la fenêtre, et je l'entendis respirer. Elle avait des épaules fatiguées, à cause de moi. Hier soir, comme elle était joyeuse! Je lui gâchais tout.

Elle referma la fenêtre, et revint vers moi.

« Tu n'as jamais accepté la moindre discipline. Tu n'as jamais voulu en faire qu'à ta tête. Nous espérions qu'avec l'âge, tu deviendrais un peu responsable, mais non! Bien au contraire. Une gosse. »

J'eus envie de crier. « Une gosse »... Je la détestais pour ce mot. Il m'humiliait. Il y a deux jours, à Malbuisson, quelqu'un m'avait vue autrement. Il avait essayé de me donner de la force. Elle, elle me sabordait.

« Tu sais, dis-je. Ce n'est pas facile de choisir. Alors, forcément, il arrive qu'on se trompe.

– Dans ce cas, on accepte au moins d'écouter les autres. On ne s'imagine pas être la seule à avoir raison.

– Peut-être que les autres ne savent plus écouter non plus! »

Il m'avait regardée et il avait entendu mon appel. Il n'avait pas eu besoin de mots, lui, pour comprendre que j'étais paumée. Ma mère ne voyait qu'une chose : je n'étais pas une bonne élève! La directrice de mon école n'était pas contente de moi; elle menaçait de me renvoyer. Mais elle n'avait même pas pensé à me demander pourquoi j'étais partie en plein milieu d'un cours, ma mère! Cela ne pouvait être qu'un caprice. Il ne pouvait y avoir aucune raison grave. Et ce matin, quand je n'avais rien pu avaler au petit déjeuner, en avant pour les fondues, truites, champignons, sauces et brise-mollet dont j'avais sûrement abusé dans le Jura. Et hier soir, dans la cuisine, quand les mots étaient au bord de mes lèvres... Non, elle n'était plus avec moi, ma mère!

Elle regarda sa montre et soupira : elle se mettait en retard à cause de moi : ses prisonniers...

« Tes prisonniers, dis-je. Eux, tu es prête à les écouter des heures. A comprendre tout ce qu'ils ont fait, même si c'est des horreurs. Mais ta fille...

– Comment peux-tu? » cria-t-elle.

Cette fois, elle n'avait pas pu se retenir. Elle se

leva et approcha son visage du mien. Je ne reconnaissais plus cette femme : je refusais de la reconnaître. Il y avait du mépris dans ses yeux.

« Ils n'ont pas eu de famille... Ils n'ont pas eu d'affection. La plupart, oui, n'ont jamais eu personne pour les écouter. Tu n'as pas le droit de te comparer à eux. »

Quand votre mère vous regarde comme ça, ça vous tue. Je me levai.

« L'affection, dis-je. La famille, tout ça, ça peut être pire que tout : ça rend aveugle! »

Je claquai la porte et montai l'escalier. Mes jambes tremblaient. Je ne pouvais plus respirer. Je m'enfermai à clef dans ma chambre. Et qu'elle ne s'y aventure pas! « Elle », pas « ma mère ». « Elle »! « Elle »! Je m'assis sur mon lit et regardai autour de moi. Voilà ce que j'étais pour mes parents : un poster représentant ce crétin de Donald Duck, une pile de disques ébréchés, une collection de coquillages moisis, des illustrés débiles, ce vieux théâtre en carton pâte. Tout cela superposé, ça faisait « la Poison ». Et parce que je m'appelais Moreau, que je vivais à *La Marette*, qu'on m'y nourrissait et aimait, j'avais le devoir d'être bien dans ma peau, de suivre leur droit chemin, d'écrire gentiment sur de petites fiches que des enfants cherchaient la mort, de le souligner en rouge et en bleu, de le classer après l'avoir appris par cœur, sans avoir envie de tout envoyer balader.

En bas, la porte de la maison claqua, puis la portière de la voiture : la voiture démarra, le bruit se fondit dans les autres bruits. Allons, elle ne serait pas trop en retard. Sa fille attendrait!

Je me levai. Ma tête tournait. Depuis hier soir, je n'avais rien pu avaler. Fameux pour la ligne? Dommage qu'on ne soit pas en été! J'ouvris la fenêtre et regardai. Alors voilà à quoi ça ressemblait, mon village, les lundis, pendant que je suivais mes cours? C'était calme comme ça, un peu mort comme ça? Parce que je n'aurais pas dû être là, et aussi parce que soudain j'avais très peur de le perdre, j'avais l'impression de le regarder en douce, comme une voleuse.

Je vis l'aiguille de l'horloge de la mairie arriver sur le deux; les coups retentirent fort et loin, dans le paysage et dans mes souvenirs. Je vis une femme sortir de sa maison, fermer la porte à clef et marcher vers la boulangerie pour une petite causette avec Mme Cadillac, toujours prête. Je vis Grosso-modo, armé d'un balai et d'un chiffon se diriger vers le cotonéaster, entrer dans son abri : ça devait être le jour du ménage là-dedans. Ça s'em-poussière comme le reste, les cavernes de l'Apoca-lypse! Je terminai par l'église. N'oublions pas que c'était Jean-René qui m'avait envoyée à Tanguy. Mais l'église était fermée. Jean-René n'était là que le samedi et le dimanche. « Dieu, il faut le trouver en soi », disait-il. Seulement, le plus souvent, Dieu se taisait. Et quand on avait l'impression qu'il vous parlait, comme tout à l'heure, dans la salle de classe, qu'il vous disait : « Vas-y! Quelqu'un t'a appelée! T'as demandé de l'espoir pour vivre et tu l'abandonnes... » la police vous tombait dessus, quand ce n'était pas votre mère!

Je refermai la fenêtre, descendis dans la chambre des parents et formai le numéro de Bernadette. Ce fut Aude qui me répondit, la sœur de Stéphane; elle gardait les jumelles. Bernadette rentrait vers six heures. Aude avait une voix chaleureuse : « Qu'est-ce que tu deviens? Ça va? » Vite, pendant que j'en étais encore capable, je répondis « Très bien ». Bernadette pouvait-elle me rappeler? C'était « ur-gent ».

Je raccrochai. Sur la table de nuit, côté Madame, il y avait une photo de nous quatre, au temps où elle savait nous entendre. Finalement, je la plaignais, ma mère : pour ce que je lui cachais parce qu'elle n'avait pas su me demander, pas une seule fois : « Qu'est-ce qui ne va pas? »

Côté Monsieur, le guide du Jura. Il avait dû expliquer, hier, le circuit à maman : il adore voyager, mon « Président », avant de s'endormir, les oreilles bourrées de coton. Je pris le guide et l'ouvris. Un regard très grave, très sérieux, me fixait dans Enrico-banana. Je pleurai un peu. Je ne savais même pas son nom! Je m'endormis, le nez sur l'hôtel des Terrasses, « deux étoiles, vue imprenable », Malbuisson, Doubs.

Il était presque cinq heures quand je m'éveillai; et déjà tout près, la nuit. J'allai chercher une pomme à la cuisine, l'ouvris en deux, retirai les pépins et l'emplis de miel. Ça allait mieux. Vite, Bernadette! Pour les pommes, nos arbres avaient bien travaillé cette année : on avait dû emprunter des cageots à Grosso-modo. Pommes à couper, pommes à compotes, pommes à tartes : les moins mûres, qui donnent du goût. J'en pris trois belles pour notre voisin. Un petit tour du côté de son abri aiderait le temps à passer. Six heures... A toi de choisir, la « Cavalière ». Je passe le flambeau.

Pourtant, il m'attendait ici, mon choix. Ici et maintenant! J'étais presque à la grille quand j'entendis mon nom. Je me retournai. La voix venait du sous-sol de la maison. Nous avons là trois pièces avec ouverture à ras de terre. L'une est l'ancienne chambre de Bernadette. Pas de plancher, du carrelage : elle pouvait entrer directement en bottes, c'était pratique. Dans la seconde, se trouvaient la chaudière, les instruments de jardinage. Nous utilisons la troisième pour le vin, certaines victuailles. On y avait, hier, descendu le comté.

C'était de celle-là que venait la voix; et les deux yeux qui me regardaient par le soupirail étaient ceux de Tanguy.

CHAPITRE XXXVIII

LE FOND DU PUITS

Il était assis sur le sol, adossé au mur, dans la poussière. J'allumai.

« Fais gaffe, dit-il. Les voisins... »

Sa voix était rauque, brutale; j'éteignis. J'avais vu son blouson déchiré, son visage plein de crasse, de barbe, et son regard avec la flamme noire de la solitude et de la violence. Il eut un drôle de rire :

« Tu vois! Jamais trop tard pour accepter les invitations. »

Oui, je l'avais invité. Et mon choix, celui qui me menait à cet instant, où j'avais si peur, où je me sentais si vide, je l'avais fait depuis longtemps : le jour où je l'avais vu sur scène, beau et désespéré et où j'avais eu envie de l'aimer.

« Pas facile de te voir seule, remarqua-t-il. Et on peut dire que c'est la foire, chez toi. Bon Dieu, quel raffut vous faites! »

Pas du raffut, Tanguy, de la joie : mais je ne savais plus la voir. Je murmurai :

« Comment es-tu entré?

— Clef sous la troisième marche, tu te rappelles? C'est toi qui m'as montré : on avait fait de la balançoire.

— Tu es là depuis quand?

– Hier soir. »

Hier soir, nous avions descendu le comté après en avoir coupé de grosses parts pour les sœurs. Papa l'avait installé sur une planche, au-dessus des pommes, recouvert d'un linge. Il avait dit : « Ça fera du comté-fruité » et nous avions beaucoup ri, sûrement bêtement, mais, quand on est heureux, on fait du bruit pour rien, pour se prouver qu'on est ensemble.

« J'ai dormi dans la chaufferie, dit Tanguy. On caillait ici! Mais je préfère l'odeur du fromage à celle du fuel. Tu n'entres pas? »

J'avançai de quelques pas. Je voulais, désespérément, douloureusement, qu'il parte, qu'il ne soit jamais venu, ne l'avoir jamais connu. C'était tout ce que je sentais en moi : plus d'amour, de pitié; ce refus.

« Plus personne là-haut? » interrogea-t-il.

Je secouai la tête. Mes yeux commençaient à s'habituer à l'obscurité. Il était recroquevillé sur de vieux sacs à pommes de terre. A côté de lui, il y avait deux bouteilles vides.

« Qu'est-ce que tu veux?

– Du fric et des fringues, dit-il. J'ai les flics au cul depuis trois jours. Hier, je suis repassé par chez moi : ils en ont profité pour me piquer ma moto. J'ai eu juste le temps de filer. Manuel m'a donné.

– Manuel?

– Ils sont allés l'interroger après l'incendie du théâtre. Le salaud a eu les jetons. Il m'a chargé. C'est Maryse qui me l'a dit. Je suis flambé.

– Ici aussi, tu es flambé! »

C'était pour le lui dire que j'avais couru chez lui : pour le supplier de ne pas revenir à Mareuil. Je lui racontai tout : Cadillac, Ferré, l'association, le village en alerte. On l'avait repéré hier. Les flics étaient toujours chez lui.

« Qu'ils y restent! »

Il souriait. Depuis le début, il avait ce sourire qui n'en était pas un; et moi je grelottais, de froid, d'angoisse. Qu'est-ce que j'avais fait? Un jour, près de lui, dans sa chambre de la ville nouvelle, je m'étais souvenue du puits, dans le jardin de grand-mère : « A force de t'y pencher, tu finiras par y tomber. » J'y tombais. Je n'en voyais pas le fond.

« T'as les jetons?

– Oui.

– Et hâte que je débarrasse le plancher, avoue? »

Je me détournai; il savait bien que j'étais en train de le lâcher, comme les autres.

« Il n'y a pas beaucoup de fric ici, dis-je, et j'avais une voix très profonde, toute enrouée que je ne reconnaissais pas. Mais pour les fringues, pas de problème. Comment tu vas sortir de Mareuil? »

Il ne fallait pas qu'on le voie, qu'on l'attrape, que l'on sache ce que j'avais fait.

« Sur ta mob. Tu n'auras qu'à dire qu'on te l'a volée. »

Je me mis à rire. Il ne pouvait pas comprendre! Le piège de la mob! J'avais fini par réussir quand même. Je l'aurais eu, mon délinquant.

« Qu'est-ce qui te prend? demanda-t-il.

– Rien! Où vas-tu aller?

– D'abord à Pontoise : un petit compte à régler. Après, je disparais. »

« Un petit compte? » Mon cœur se mit à battre. Non! Je ne voulais pas la poser, la question. Je n'appuierais pas sur le point sensible. Je ne me ferais pas mal en cherchant la vérité. Je ne serais pas « la Poison ». Il fallait qu'il parte, vite, c'était tout ce qui comptait. Le reste ne me regardait pas.

Les mots vinrent malgré moi.

« Quel petit compte ?

– Tu crois que je vais laisser ce salaud s'en tirer comme ça ? »

Il frappa sur sa poche et j'entendis Cadillac hier soir : « Une arme, un revolver. » Je ne fus pas étonnée quand il le sortit : je le voyais en posant ma question et une sorte d'eau grise, lourde et sans lumière se répandait en moi qui devait s'appeler le « désespoir ».

A nouveau, j'entendis ma voix, comme de loin.

« Tu vas le tuer ?

– On verra.

– Si tu le fais, tu es foutu. Les flics t'arrêteront.

– De quel côté est la prison ? »

Je me mis à pleurer. C'était la troisième fois qu'il prononçait cette phrase et elle me déchirait. Et tout à l'heure, j'avais raison pour les mots. Certains sont des menteurs. Quand quelqu'un de bien habillé, assis derrière un bureau, vous les dicte : des mots comme « désespoir », « solitude », et même le mot « mort », ils deviennent presque beaux, comme ces perles noires. Ils allument dans votre poitrine une sorte de flamme qui permet de prendre la mesure de votre propre bonheur. Mais lorsque vous les recevez en pleine gueule et que craque l'enveloppe, alors « désespoir », « solitude » et « mort » ne sont plus que sales, sordides, poisseux, intolérables et on a envie de redevenir une enfant.

« Qu'est-ce qui te prend ? demanda-t-il. Tu ris, et maintenant tu chiales !

– Je ne peux pas t'aider, dis-je. Je ne peux pas t'aider à faire ça. »

Il se leva et marcha vers la porte. Il tenait toujours son arme.

« Tu préfères que je sorte comme ça et que je tire dans le premier qui voudra m'arrêter ? »

Je sus qu'il le ferait et je touchai le fond. Voilà la

mort! Quelqu'un qui tient ce petit instrument noir et dit : « Je tire ». sans penser à l'homme qui tombera.

« Pourquoi ne commences-tu pas avec moi? Qui te dit que je ne vais pas te trahir? »

Il me regarda un moment sans répondre, toujours avec son sourire qui était comme un adieu, mais j'ignorais encore à qui.

« Tu ne l'as pas fait jusqu'ici. Pourtant, d'après ce que j'ai compris, ce ne sont pas les occasions qui t'ont manqué! »

J'entendis sonner la demie de cinq heures. Dans une demi-heure, ma mère serait là.

« Qu'est-ce que tu veux comme vêtements?

– La voilà qui devient raisonnable! Pantalon et chandail : le moins voyant possible, lunettes noires si tu as. »

Il s'interrompit : « Attends... »

Des gens passaient sur le chemin : nombreux. L'association? On les entendait parler. Sans bruit, Tanguy alla au soupirail, colla son visage aux barreaux. Je m'approchai aussi. On ne pouvait pas les voir à cause du muret, mais ils s'étaient arrêtés et discutaient. La lumière du lampadaire dessinait en orange nos quatre marronniers, le long de la grille. On les avait plantés espacés pour que chacun ait la place de s'épanouir : dans les forêts, comme celles du Jura par exemple, beaucoup d'arbres étaient condamnés à mourir parce que trop faibles pour arriver à la lumière. Ou ils tombaient d'eux-mêmes, ou on les abattait. Il n'y avait pas assez de lumière pour tous.

Les gens s'éloignèrent et je sentis le soupir de Tanguy.

« Ce n'était pas pour nous », dit-il.

« Nous? » Je regardai ses cheveux blonds, ses épaules étroites. C'était comme ça, un assassin?

C'était fragile? Quelque part cela me ressemblait? Enfin, oh! mon Dieu, enfin, quelque chose bougeait en moi, d'autre que la peur et le reniement. Que lui restait-il à Tanguy? Plus d'amis, ni de théâtre, ni de toit, ni d'avenir, aucuns soleils. Comme Fabrice sur sa barque, il n'avait plus que son arme, et moi, encore un peu. Et j'avais tellement pitié soudain que c'était une sorte d'amour.

Il me regarda du coin de l'œil.

« On ne chiale plus? demanda-t-il.

— On s'interroge, dis-je. On ne sait plus bien où on en est... On pense à *l'Autre*...

— Mettons qu'on se soit loupés... »

Je touchai sa manche :

« Tanguy... »

Il eut comme une hésitation, puis il me repoussa brutalement.

« Qu'est-ce que tu attends? Tu tiens vraiment à me garder ici? »

Sa voix était mauvaise. En marchant vers la porte, je sentis mon corps comme une cible.

« Et grouille-toi, dit-il. L'attente, c'est le pire! »

Bernadette s'approcha. Histoire de rire un peu, je voulus lui demander si Pauline et Claire suivaient, avec les moufflets pendant qu'on y était, mais ça ne passa pas.

« Ça y est, dit-elle aux parents. Ils l'ont emmené.

– Qu'est-ce qui y est? » demandai-je.

Ce fut Grosso-modo qui raconta en premier. Il disait « ton ami » en parlant de Tanguy et je trouvais ça formidable et déchirant. Puis mon père prit la suite. Lui, il ne laissait pas aux autres le soin de vous faire mal : il vous disait les choses en face et au moins on savait qu'il n'y avait rien de caché. Pendant qu'il racontait l'horreur, je regardais les pieds des chaises et je les comptais : il me semblait que tant que je pourrais le faire, je ne tomberais pas, je supporterais. Bernadette ne dit pas un mot : à marquer d'une croix! Maman regardait ailleurs elle aussi, et je ne sais pas si c'était vers mon enfance ou vers demain.

« Maintenant, il faut y aller », dit mon père.

Je fis « non » de la tête. Je ne pouvais pas. Je voulais rester là, sortir dans longtemps, quand, dehors, ce serait refroidi, que l'on pourrait respirer à nouveau et, peut-être, profiter des choses, mais pas maintenant. C'était comme s'il n'y aurait plus jamais de printemps.

« Regarde-moi, Cécile », dit Charles.

Ça, je ne pouvais pas non plus : c'était impossible. Je ne supporterais pas de voir dans son regard le mal que je lui avais fait.

Il me prit par les épaules. Qu'est-ce qu'ils avaient tous à attendre? Je voulais être seule à nouveau.

« Un peu de courage, voyons! ordonna-t-il. Un peu de dignité, s'il te plaît. Regarde-moi. »

Alors je réussis à lever les yeux et, dans les siens,

il y avait des larmes, une fatigue immense, mais aucun mépris, pas de condamnation.

« Allons! » dit-il.

Dehors, cela sentait une drôle d'odeur et les yeux vous piquaient. Il y avait beaucoup de monde dans le chemin qui, ordinairement, est plutôt calme. Nous allâmes droit vers la voiture de police. Ce n'était pas les hommes que j'avais vus chez Tanguy.

« Voilà la petite qui est venue m'avertir, dit Tavernier. Elle l'a entendu en rentrant de l'école et, grosso-modo, elle est encore pas mal choquée comme vous voyez. »

Ils me regardèrent à peine et ne m'interrogèrent pas puisque je ne savais rien, puisque, tout simplement, en rentrant de mon école, j'avais entendu du bruit dans la cave et que j'étais allée tout droit avertir le voisin.

Tard dans la soirée, malgré le froid et l'hiver, les gens restèrent dans le chemin à respirer l'odeur et regarder la maison du docteur. Ils se racontaient indéfiniment ce qui s'était passé. Lorsqu'une nouvelle personne arrivait, on se précipitait. Les mots étaient redevenus des mots : la flamme de la peur et du plaisir se communiquait de poitrine à poitrine, de bouche à bouche et je comprenais leur excitation. Cela m'était arrivé un jour où le feu avait pris dans un grand magasin de Pontoise : je ne pouvais pas me lasser de regarder les flammes et les hommes qui luttaient. Leurs cris me concernaient, leur courage m'allait au cœur : c'était moi aussi qu'ils sauvaient et, ce jour-là, dans l'air, il y avait une autre chaleur que celle du feu : bien plus vive. On se sentait tous rescapés.

Oui, ce qui était arrivé aujourd'hui, aurait pu se

passer chez n'importe quel habitant de Mareuil. La violence était partout; nul n'était désormais à l'abri. Le monde, la société, le chômage, la justice, les valeurs, les principes.

Mais je crains que ni le mot « désespoir », ni le mot « solitude » n'aient été prononcés et pourtant ils étaient au cœur de tout.

C'était, finalement, une histoire banale, comme il en arrive chaque jour. Elle paraîtrait demain, dans les journaux : quelques lignes à la rubrique « faits divers ».

« Vers dix-sept heures, hier, un jeune délinquant recherché par la police, s'est introduit dans la maison d'un médecin à Mareuil, petit village du Val-d'Oise. Avertie par un voisin, la police s'est rendue aussitôt sur les lieux. L'homme était armé et les policiers n'ont pas voulu prendre de risques. Encerclement, gaz lacrymogènes. Pas de réponse aux sommations. Lorsqu'ils sont entrés dans la cave, c'était fini. Se voyant pris au piège, Tanguy Lefloch, vingt-deux ans, sans emploi, avait utilisé son arme contre lui. »

CHAPITRE XL

LE TOQUÉ

DONNER LA NUIT
Par Pauline Démogée

Il y a dans le Jura, sur le Doubs, un lac appelé « Saint-Point ». On raconte qu'une nuit de Noël, ce lac recouvrit une ville dont les habitants avaient refusé asile à une femme perdue et à son enfant. Depuis cette nuit-là, chaque vingt-cinq décembre, monte du fond de l'eau, le son des cloches de l'église engloutie.

C'était il y a deux semaines. On remarqua une barque au milieu de ce lac. Sur celle-ci, se trouvait un enfant armé d'un fusil. Il n'exprimait aucun désir, aucune revendication particulière, il voulait qu'on le laissât là. On finit par le capturer, glacé et affamé, à l'aube de la troisième nuit. L'enfant s'appelait Fabrice Chauvet et il avait onze ans.

Père de Fabrice : Etienne, trente-sept ans, propriétaire d'une petite ferme dans les environs, de mère décédée en lui donnant le jour, de père alcoolique. A la mort de ce dernier, Etienne reprend la ferme. Ses voisins ne le fréquentent guère : « Un homme plutôt sauvage », disent-ils.

Mère de Fabrice : Marie, trente-cinq ans. De père inconnu, de mère prostituée. Marie a passé en nourrice une grande partie de son enfance. D'après les

238

voisins : « Une femme qui, lorsqu'on lui cause, a toujours l'air de se méfier. »

Etienne et Marie se rencontrent un été où la jeune femme est venue camper dans le coin avec une camarade. La camarade rentrera seule à Pontarlier : Etienne et Marie ont décidé de se marier. A l'étonnement de tous, ils organisent une noce formidable. Tous ceux des environs sont invités et traités royalement. On parlera longtemps de cette fête. « Une bonne partie de l'héritage du vieux a dû y passer », murmure-t-on.

S'annonce l'enfant. On dit qu'à cette époque, Etienne et Marie se montrèrent plus liants. Marie semblait heureuse de sa grossesse : « On aurait dit qu'elle portait un prince », dit une voisine.

Le « prince » n'est qu'un bébé de six livres qui, comme tous les bébés, fait du bruit, se salit et gêne. Avec sa naissance, vient la déception. Marie et Etienne font tout de même un beau baptême, avant de rentrer, cette fois pour de bon, dans leur isolement. « Ils n'étaient pas méchants, dit un voisin, seulement, on ne savait jamais comment leur parler. »

Fabrice grandit. Le voici en âge d'aller à l'école. Celle-ci se trouve à quatre kilomètres. Les routes sont impraticables par mauvais temps. On l'y voit irrégulièrement. Lorsqu'il vient, il se place de lui-même au fond de la classe : il parle le moins possible. Les enfants l'appellent le « Toqué » et se moquent de ses vêtements, trop grands pour lui : vêtements d'adulte qu'on a coupés pour les mettre à sa taille. L'institutrice doit, à plusieurs reprises, prendre sa défense. « C'était un enfant très sage, dit-elle. Très appliqué, mais certains jours, on avait l'impression qu'il venait là pour dormir. »

Se pose-t-elle des questions à son sujet? Bien sûr! Mais sans raison précise : l'enfant ne se plaint jamais; il semble correctement nourri et les visites médicales montrent qu'il n'est pas maltraité chez lui. Alertée par elle, l'assistante sociale se rend cependant à la ferme Chauvet. Elle trouve les parents « amorphes », « écrasés », mais pas mauvais. Ils vivent rivés à leur poste de télévision. C'est apparemment l'enfant qui se charge des principaux travaux. Lorsqu'il vivait, le père d'Etienne, déprimé, laissait toute la besogne à son fils. Enfant, chez sa nourrice, Marie était de toutes les corvées : le petit « prince » a pris le relais.

Interrogés, les voisins n'ont rien à signaler. Ils voient l'enfant passer pour aller à l'école ou aux courses. Celui-ci semble les éviter : tels parents, tel fils. Et puis, on n'aime pas à se mêler des affaires d'autrui, ici.

Cela aurait pu continuer ainsi. Jamais personne n'aurait parlé de Fabrice Chauvet : une existence comme tant d'autres. Mais un jour, l'enfant sage, sauvage, le « Toqué », dit « non ».

Ce jour-là, il va à l'école comme de coutume. Lorsqu'il rentre, à six heures, il décroche le fusil de chasse du mur de la chambre à coucher, quitte la ferme sans rien dire, parcourt à pied les huit kilomètres qui le séparent du lac de Saint-Point où il a été, quelques mois auparavant, emmené lors d'une promenade organisée par son école et qu'il a décrit, dans une petite rédaction intitulée : « Le beau jour de ma vie. »

Au bord du lac, dans un hangar, s'entassent des barques utilisées, l'été, pour la pêche. Le lac de Saint-Point est réputé pour ses poissons : brochets et gardons, truites, tanches, perches. Fabrice parvient à tirer une embarcation, il la met à l'eau, il y prend place avec son fusil et rame. Où va-t-il? A quel rendez-vous? Qu'attend-il sous sa bâche? Il ne le sait peut-être pas lui-même. Simplement, ce soir-là, Fabrice a dit : « Assez! »

A l'hôpital où il a été soigné après avoir, de justesse,

240

été sauvé du froid et de la faim, les tests ont indiqué que l'enfant était intelligent : il sait lire et écrire : il s'exprime correctement. On a, de nouveau, constaté qu'on ne le maltraitait pas chez lui. Il semble que le travail énorme qu'il fournissait à la ferme ne lui ait jamais été imposé. Chaque matin, à l'hôpital, Fabrice fait son lit et nettoie à fond sa chambre. Mais on y fait une autre constatation : Fabrice ne pleure pas. Il ne sourit pas non plus, et lorsqu'une infirmière, un jour, se penche sur lui pour l'embrasser, il a un réflexe de peur. Il apparaît que, jusqu'ici, personne n'a jamais embrassé l'enfant.

C'est un hasard qui a permis de découvrir pourquoi ce matin-là, Fabrice a dit : « Assez! » L'institutrice s'est souvenue d'un chien qui l'accompagnait à l'école et l'attendait pour rentrer chez lui : Pluto. Ce matin-là, l'enfant était venu seul. Cette nuit-là, Pluto était mort de vieillesse. C'était le seul être qui rattachait Fabrice à la vie : le seul qui lui donnait de l'amour.

Pour vivre, on a besoin d'eau, de pain, de chaleur et d'amour. Il manquait l'amour à Fabrice. Etienne et Marie ne l'avaient pas reçu : ils ne pouvaient le lui donner.

On apprend à un enfant à parler, manger, marcher. On lui apprend à lire et à écrire. On lui apprend aussi l'amour, et ceci en l'aimant, au moins un peu, au moins parfois.

Cette grande fête pour leur mariage, cette autre pour le baptême, ce « prince » qu'ils espéraient, c'étaient sans doute, mais Etienne et Marie ne le savaient pas, d'ultimes demandes d'amour.

Dans les paysages du Jura se mêlent douceur et rudesse. Les rivières coulent au fond des cluses étroites et dures. La tapisserie mouillée des prairies s'étend au pied des sapins noirs. Eaux vives, éperons rocheux, calmes prés-bois, combes sauvages, lignes douces, gorges profondes, rivières alanguies, neige et feu, et toute la gamme des verts, et toute celle des odeurs : on y trouve comme un résumé de la vie.

La vie est amour et violence. Sans l'amour, on marche vers la mort. C'est elle que cherchait Fabrice, ce jour-là, après avoir perdu son seul ami.

L'enfant a été provisoirement confié à un centre. Ses parents le réclament : ils sont en droit d'exiger son retour. Une enquête a été ouverte pour déterminer s'il était, avec eux, en danger moral. Le juge décidera.

Il s'appelle Fabrice. Il aurait pu s'appeler Marc, Noémie, Guillaume, Tanguy ou Benjamin. Il s'appelle « l'enfant ». Il nous apprend que l'amour est lumière indispensable et que l'on peut, en donnant le jour, donner aussi la nuit.

CHAPITRE XLI

L'AUTRE? QUEL AUTRE?

VOILÀ trois jours que la neige tombe : le ciel est comme posé sur le jardin, les péniches enfoncent le silence qui se referme derrière elles. J'ai l'impression que les aiguilles de l'horloge tournent pour rien : c'est décembre!

Aujourd'hui, je suis allée voir M. et Mme Lefloch à Conflans-Sainte-Honorine. Mélodie m'a accompagnée jusqu'à la porte : elle voulait absolument entrer avec moi, elle avait peur de je ne sais quoi. J'ai refusé. Je peux quand même faire trois pas sans béquilles.

C'était une maison sur rue, du genre cossu. Le père de Tanguy m'a ouvert : grand, long, les cheveux courts, militaire de carrière, à présent à la retraite. Il m'a guidée dans le salon où attendait sa femme.

Elle portait une robe grise et ses cheveux étaient tirés en arrière comme pour mieux exposer sa douleur. Elle m'a désigné un fauteuil à côté d'elle

Au téléphone, je m'étais présentée comme une amie de Tanguy : j'avais à leur parler : c'était important. Je n'ai pas essayé de tricher, je leur ai dit que j'aimais beaucoup leur fils et que j'avais du mal à accepter ce qui était arrivé. Je voulais qu'ils m'aident à comprendre.

Mme Lefloch s'est mise à pleurer. On avait pourtant l'impression que ses yeux avaient tout donné.

« Tanguy ne vivait plus ici depuis deux ans, a dit son mari. Nous ne pourrons pas vous apprendre grand-chose.

– Alors, est-ce que vous pourriez me parler de lui, avant?

– A quoi cela vous avancera-t-il?

– Laisse! » a dit sa femme.

Elle s'est levée et m'a fait signe de venir regarder avec elle les photos sur la cheminée. La plupart avaient été prises à l'étranger, l'Algérie surtout, l'Allemagne : un militaire, ça n'arrête pas de bourlinguer. Ils avaient eu trois enfants : deux fils et une fille. Le fils aîné, Bruno, c'était ce jeune saint-cyrien aux côtés de son père en uniforme. Leur fille, Agnès, était mariée, mère de famille à présent. Tanguy était le dernier.

Elle a pris une photo où il devait avoir une dizaine d'années.

« C'était un enfant sans freins, a-t-elle expliqué, les médecins nous l'avaient dit " Sans freins ". Parfois, il perdait tout contrôle. Nous avons eu beaucoup de soucis à cause de lui. Nous avons dû déménager plusieurs fois. »

J'ai murmuré :

« Qu'est-ce qu'il faisait? »

Elle s'est détournée :

« Du mal, beaucoup de mal, a-t-elle dit. Comme ça, sans raison. »

J'ai pris la photo à mon tour. Il est debout sur une dune, dans le désert et il regarde au loin. Son regard me rappelait quelque chose. Il m'a fallu un instant pour trouver : c'était celui de Fabrice, sur le

cliché qui accompagne l'article de Pauline : indiffé-
rent et vide.

« Peut-être était-ce parce qu'il n'avait pas trouvé
l'Autre », ai-je dit.

Mme Lefloch n'a pas semblé être au courant :

« Quel autre?

— Celui qui le comprendrait, qui l'aimerait vraiment.

— Mais nous avons tout essayé! » s'est-elle excla-
mée.

Elle pleurait à nouveau, comme si je l'avais accusée. Je ne ressentais que très peu de pitié. J'avais
l'impression de me battre : pour Tanguy et pour
moi.

« Alors peut-être qu'il cherchait Dieu, ou quelque
chose comme ça?

— Il ne croyait pas en Dieu, a dit son père. Il disait
que c'était de la supercherie; qu'après il n'y avait
rien. »

Je suis revenue vers lui. Il se tenait presque au
garde-à-vous dans son fauteuil et je sentais sa douleur, enfoncée comme une épée, verticalement,
dans son corps.

J'ai demandé :

« Est-ce qu'il avait peur de la guerre? »

Il a répété le mot « guerre » : mot courant pour
lui, son boulot.

« Il disait qu'un jour tout sauterait et que le plus
tôt serait le mieux. Je ne sais pas s'il avait peur.

— Il n'aimait pas la vie, a repris sa mère. Ni les
gens, ni rien. Pourquoi? »

Je n'ai pas su répondre. Parce que! Soudain, je
n'avais plus rien à dire. Je les avais imaginés autrement : durs, intransigeants, responsables, coupables. Tout aurait été plus facile alors : j'aurais pu les
accuser. Mais c'étaient des parents comme les
autres : ils se seraient sans doute bien entendus

avec les miens. Ils avaient fait pour leur fils ce qui était en leur pouvoir; et moi je l'avais donné aux flics et j'osais me présenter devant eux aujourd'hui! Comme j'avais osé, un jour, aller voir Mme Lamourette, en connaissant son tortionnaire.

Ils m'ont demandé comment je l'avais connu. J'ai raconté pour le théâtre. Je leur ai dit qu'il avait un grand talent et que sa pièce était un succès. Maintenant, j'avais envie de me faire pardonner. Ils semblaient tout désarçonnés : on n'avait pas dû souvent leur chanter les louanges de leur fils.

Avant de les quitter, j'ai demandé à voir sa chambre. Les mots sont venus comme toujours malgré moi. Il faut que je creuse jusqu'au bout et, au bout, il y a la souffrance, comme au fond de la terre, le feu. Je dois être maso. Il aurait été tellement plus simple de garder l'image de Tanguy dans la cave, avec son pistolet et ses yeux fous.

Sa chambre était pleine de livres, de photos d'acteurs et d'affiches. Je connaîtrais maintenant l'enfant que j'avais aussi dénoncé. Sur le lit, en boule, un chat noir ronronnait; j'ai murmuré son nom : « Missile », et j'ai eu droit à un éclair jaune.

« C'est une jeune fille, une certaine Maryse, qui nous l'a apporté de sa part jeudi dernier », a expliqué M. Lefloch.

Jeudi, c'était quatre jours avant la mort de Tanguy. La police était déjà chez lui : il n'avait pas voulu abandonner son chat.

En me raccompagnant à la porte, ils m'ont demandé ce que je faisais dans la vie. Je leur ai dit que j'avais commencé des études qui ne me convenaient pas : j'arrêtais. De toute façon, je venais d'être souffrante et, pour l'instant, je récupérais. Avec un père médecin et une bonne constitution, les choses devraient finir par s'arranger.

Mélodie m'attendait en regardant couler l'Oise. Je me suis penchée un moment à ses côtés sur ce spectacle absurde et dramatique d'une eau qui se déroule, comme le temps, sans que ni l'amour, ni la mort n'en altèrent une seule seconde, n'en détournent la moindre goutte.

Elle ne m'a rien demandé, mais comme nous passions près d'un grand magasin devant lequel s'offrait à la convoitise des jeunes délinquants une armada de Mobylettes, elle m'a dit :

« Tu te rappelles? Qu'est-ce qu'on était jeunes et bêtes en ce temps-là! »

Et nous avons ri.

CHAPITRE XLII

MÉTAMORPHOSE

« J'AVAIS un oncle qui avait terriblement peur de la mort, raconte Tavernier. C'était une hantise. Alors, pour échapper à sa peur, tu sais ce qu'il a fait? Il s'est tué. Il n'a pas trouvé d'autre issue. Il était prisonnier de lui-même. Je ne sais pas très bien pourquoi je te raconte ça...

– Tanguy avait une issue : son théâtre. Si les gens avaient accepté de l'entendre... »

Il hoche la tête.

« Es-tu sûre qu'il voulait être entendu? Cette pièce, c'était peut-être sa façon de tenir les autres à l'écart?

– Alors, on ne pouvait rien faire pour lui? »

Il pose sa main sur la mienne. Il y a de la terre incrustée à jamais dans sa paume. Elle est rude et bonne.

« Qu'est-ce que tu en penses? »

Je ne sais pas. Je ne sais plus. Je pense que pour moi, le courage maintenant, cela va être d'assumer mon choix, sans me chercher des excuses. Je pense que ce ne sera pas facile.

« Le mal existe, dit Tavernier. Refuser cela, c'est refuser de grandir. Certains êtres sont nuisibles. On ne peut rien pour eux. D'ailleurs, ils ne vous demandent rien. »

J'entends la voix de Mme Lefloch : « Du mal! Il faisait du mal comme ça, sans raison! » Je pose mes lèvres, très vite, sur la main qui recouvre encore la mienne, et Grosso-modo devient comme ses roses.

« Un écrivain a dit : « Il faut comprendre que les « choses sont sans espoir et être pourtant décidé à « les changer. »

– C'est le meilleur de l'homme », dit-il.

Hier, j'ai appelé l'hôtel Les Terrasses, à Malbuisson. C'est le patron qui m'a répondu. Il se souvenait très bien de moi. En entendant sa voix, cet accent qui est comme l'écorce des sapins, avec un peu du moelleux des prairies traversées d'eau vive, j'avais tout ce pays dans la poitrine, j'avais tout ce bonheur perdu.

Je lui ai parlé d'un jeune homme arrivé la nuit, la veille de notre départ : nous avions sympathisé. Etait-il encore là? J'avais quelque chose d'important à lui dire.

« Emmanuel? s'est-il exclamé. Il est en Afrique : médecins sans frontières, vous connaissez? »

Je connaissais. Et je n'ai pas été étonnée qu'il soit médecin : « Sans frontières » en plus. Il savait deviner et apaiser la douleur. Je lui aurais dit que j'avais fait mon choix mais qu'il n'était pas facile de vivre et que je me demandais sans cesse comment « tirer le bien du mal ».

Le nom « Emmanuel », signifie, je crois : « Dieu avec moi. » Tant mieux pour lui! Moi, un jour, dans une église, j'ai demandé à Jean-René : « Qu'est-ce que je peux faire de bien? » Et il m'a répondu : « Tanguy » : alors, Dieu avec moi, pour l'instant, comment voulez-vous?

Je suis encore très fatiguée, surtout au réveil; et même si j'ai fait le plein de sommeil : impossible de me lever. Je me demande : « Pourquoi? » « Pour qui? »

Ce matin, papa est venu s'asseoir au bout de mon lit. Il m'a expliqué que je faisais peau neuve : c'est toujours comme ça après une épreuve. Et à moins qu'on ne tienne absolument à s'enfermer pour la vie dans sa vieille peau, ce qui est la dernière des choses à faire, il y a un moment de fragilité. C'est comme lorsqu'un ongle tombe : dessous, la peau est toute rose et fragile; il faut laisser le temps de repousser. A propos de repousse, Grosso-modo m'a dit aussi quelque chose un jour. Il faudra que je lui demande. Il y a peut-être un printemps de la souffrance. Mettons que j'en sois à l'hiver.

Le docteur Moreau m'a ordonné d'avoir fini ma métamorphose pour Noël. Je ne me suis engagée à rien, mais je lui ai dit que, si métamorphose il y avait, qu'il ajoute sur l'ordonnance qu'on ne m'appelle plus la « Poison ». Elle est à jeter ou non, la vieille peau?

En janvier, je crois que j'entreprendrai des études d'infirmière. J'ai besoin d'être auprès de quelqu'un qui souffre, surtout d'un enfant, de lui demander où il a mal, de l'aider à s'en sortir, de regarder son sourire, besoin, tellement besoin! Et surtout plus de mots : mes mains, mon cœur, ma bouche, mon sang, ma vie, contre la mort.

Mélodie a décidé d'arrêter elle aussi l'école d'éducateurs. Elle fera « mercerie » comme sa mère. Ses parents sont fous de joie : il paraît qu'ils me bénissent : c'est toujours ça et au moins, le jour où je n'aurai plus ma mère pour recoudre mes boutons, je saurai où aller acheter mon fil et mes aiguilles.

« Viens! dit Benjamin. Vite! »

Il tire ma main, m'entraîne dans le jardin. Il faut toujours obéir aux enfants : ils connaissent les chemins et savent, contrairement à ce que prétendent les « grandes personnes », que le droit chemin n'est jamais le bon : on n'y trouve que des sourds et des aveugles.

Nous marchons jusqu'à la pelouse, couverte de neige et qui craque sous les pieds. Il s'arrête en face de Gaillard.

« Est-ce qu'il va mourir ? »

Je m'approche de cette espèce de bâton grotesque, de cette tige ridicule qui sort de la neige et tient debout, on ne sait comment, on ne sait pourquoi. Je la touche. J'ai bien envie de l'arracher parce que ça fait mal, à certains moments, de croire quand même à la vie. Et puis c'est complètement fou de penser que ce machin glacé fabriquera un jour des pêches : aussi fou que de se dire qu'avec un peu de chance, je reverrai un garçon prénommé Emmanuel.

« Est-ce qu'il va mourir ? » répète Benjamin. Et sa voix tremble.

« Attends un peu, dis-je. Tu vas voir ce que tu vas voir. Il t'en réserve des surprises : des vertes et des pas mûres, c'est le cas de le dire, mais aussi des sucrées, des ensoleillées, des mirobolantes. »

Alors il danse. Il danse dans la neige avant de venir retomber dans mes bras, ses yeux pleins de confiance fixés sur les miens, un sourire immense sur les lèvres, ma parole, il m'a crue ! Il doit m'avoir classée parmi les adultes !

« Pourquoi tu as des larmes ? demande-t-il.

— Ça doit être le froid, dis-je. Ça cingle, je ne sais pas si tu t'en es aperçu ! C'est peut-être aussi un peu l'amour. Un jour, mon pauvre vieux, ce sera ton tour : ne compte pas y échapper. »

Alors il appuie les deux mains sur son cœur et il dit : « L'amour, je sais ! C'est quand on a mal là. »

TABLE

DU MÊME AUTEUR

Chez le même éditeur :

IMPRIMÉ EN FRANCE PAR BRODARD ET TAUPIN
58, rue Jean Bleuzen - Vanves - Usine de La Flèche.
LIBRAIRIE GÉNÉRALE FRANÇAISE - 14, rue de l'Ancienne-Comédie - Paris.

ISBN : 2 - 253 - 03592 - 0

✠ 30/6008/4